LE BONHEUR DE VIVRE

LOUIS-N. FORTIN

LE BONHEUR DE VIVRE

Diffusé dans le monde entier par:
DIFFUSION LOUGAROU INC.,
4657, des Grandes Prairies
Montréal, Qc, Canada, H1R 1A5
Tél. (514) 326-1431
Télex: 05-25134 MTL

Photo de la couverture:
    JACQUES MARCOTTE

Maquette de la couverture:
    JACQUES MARCOTTE

Photocomposition:
    IMPRIMERIE DUBOIS (1980) INC.

Mise en page:
    GISÈLE GIRARD

Dépôts légaux, 3e trimestre 1987:
Bibliothèque nationale du Québec
Bibliothèque nationale du Canada

ISBN: 2-89150-058-X

Une production de:
PROMOTIONS MONDIALES/ÉDITIONS LN INC.
425 Nadia, BM-522, RR.4
Drummondville, Qc, Canada, J2B 6V4
Tél.: (819) 477-8287

TABLE DES MATIÈRES

Page

Avant-Propos

Je me souviens qu'autrefois, malgré les conditions parfois misérables auxquelles beaucoup de gens étaient confrontés, la plupart des individus, sinon tous, s'accrochaient avec beaucoup de ténacité à la vie. En dépit de longues et rudes journées de travail, effectuant toutes sortes de tâches, et souvent démunis au plus haut point; manquant parfois du strict nécessaire, la majorité de nos pères et mères n'en demeuraient pas moins positifs à l'égard de la vie. Il était très rare, à cette époque pas tellement lointaine de la nôtre, de voir quelqu'un «décrocher» désespérément de la vie.

Mais que de choses ont donc pu changer au cours de cette seconde partie de notre vingtième siècle. On dirait que plus les gens sont équipés pour pouvoir profiter plus pleinement et agréablement de l'existence, moins ils semblent avoir le goût de vivre. Bien que pratiquement tous soient à même de disposer et de profiter d'une variété infinie de gadgets permettant d'agrémenter la vie, allant de la cuisinière électrique jusqu'à l'automobile la mieux finie, jamais on a vu avant notre époque de génération ayant un taux aussi élevé d'êtres déçus et découragés de la vie.

L'accroissement alarmant du nombre des suicides chez les moins âgés, le phénomène dégradant de la drogue, le taux des divorces qui monte en flèche, les avortements, la violence sous toutes les formes, la criminalité qui devient de plus en plus cruelle, le manque flagrant d'amour et de fidélité qui prédomine autant dans les foyers que dans les relations sociales, commerciales ou politiques, ce ne sont là que quelques-unes des constatations évidentes actuelles qui confirment bien le fait qu'un profond décrochage à l'égard de la vie est en train d'envahir les êtres, les familles et les sociétés de notre temps.

Comment expliquer l'accroissement des phénomènes négatifs énumérés plus haut autrement que par l'absence de goût à l'égard de la vie dont est atteinte une tranche importante de notre société. Si tant d'êtres sont déçus de leur existence, découragés de la vie, tout à fait démunis et incertains face à l'avenir, quittent femmes, familles et enfants, s'adonnent à la drogue, deviennent alcooliques, et vont parfois jusqu'à s'abandonner au suicide, la raison fondamentale et profonde de ce «décrochage» généralisé de la vie origine dans le fait que tous ces êtres-là sont des individus profondément malheureux. En somme, le «mal de vivre» intérieur que ressentent tous ces êtres se traduit extérieurement par les divers comportements émotifs, physiques et visibles dans lesquels ils échouent: déceptions, doutes, négativisme, découragements, peurs, alcoolisme, drogue, abandon de foyer et de famille, décadence morale, violence, voire le suicide pour les individus et la guerre pour les nations.

Il a été démontré à maintes reprises qu'il est tout simplement impossible d'être à la fois positif et malheureux, violent et heureux, ou enthousiaste et découragé à la fois. Ces attitudes contraires peuvent habiter chez un même individu, mais ne peuvent absolument pas se manifester dans un même temps, de façon prolongée. Ces attitudes peuvent résider ensemble à leur état latent, mais elles sont aussi incompatibles les unes des autres que peuvent l'être le feu et l'eau, ou la lumière et les ténèbres.

Un être qui est négatif est un individu foncièrement malheureux, aussi sûrement qu'un être positif peut être un individu foncièrement heureux de vivre, tout en étant content d'être ce qu'il est et de son lot dans la vie. L'enfant malheureux sera instinctivement porté à la violence et au négativisme, aussi sûrement que sera naturellement porté à la bonté et au positivisme un autre enfant qui, contrairement au premier, aurait eu la bonne grâce de grandir et d'évoluer au sein d'une cellule familiale harmonieuse, heureuse et positive.

Le bonheur de vivre, ou l'art de savoir vivre heureux, à l'intérieur de soi et à travers les autres, s'apprend aussi sûrement que peuvent s'acquérir tous les métiers de l'existence. Oui, savoir être heureux de vivre est aussi un métier qu'il importe d'apprendre, une profession qui ne s'acquiert pas par hasard.

Si c'est en apprenant à cuisiner patiemment qu'une épouse avisée deviendra un habile cordon-bleu, et si c'est en apprenant les rudiments de la menuiserie qu'un mari se transformera en un habile bricoleur, ainsi en est-il avec l'art qui consiste à savoir vivre heureux. Nul ne doit ni ne peut s'attendre de vivre une existence raisonnablement harmonieuse, saine et heureuse à moins qu'il n'ait d'abord bien compris les diverses facettes du prodigieux processus menant positivement au BONHEUR DE VIVRE.

De même qu'il est tout simplement impossible d'espérer d'un petit enfant qu'il devienne un habile lecteur, ou un comptable chevronné, à moins que quelqu'un ne lui ait enseigné la notion des mots et des chiffres, ainsi en est-il de l'art qui consiste à vivre heureux. Il est tout aussi impossible d'espérer vivre une existence harmonieuse et fondamentalement heureuse à moins d'acquérir les notions de base qui ouvrent toute grande la voie au BONHEUR DE VIVRE.

C'est paradoxal de constater que, d'une part, tous les êtres humains de la planète Terre aspirent légitimement au bonheur de vivre, et que, d'autre part, les écoles qui dispensent de l'enseignement pratique sur l'art de savoir vivre heureux sont pratiquement inexistantes, sinon qu'il n'y en a aucune. Pourtant, qu'est-ce qui est le plus important dans la vie? Apprendre à fond tous les mécanismes de l'arithmétique, toutes les combinaisons des mots, ou bien l'art de savoir vivre heureux? Heureux avec soi-même d'abord, avec les autres ensuite. Oui, quel enseignement devrait mériter le plus notre attention en tant qu'individus humains? bien sûr, il est important de savoir bien lire et de pouvoir compter ses sous; mais quelle valeur humaine peuvent revêtir ces connaissances si l'être qui les maîtrise à fond est incapable d'harmoniser sa propre vie et devient ainsi incapable d'accéder au BONHEUR DE VIVRE?

Voilà, en fin de compte, le but de ce livre. Partager avec vous, amis lecteurs et lectrices, quelques-unes des précieuses notions de vie qui furent acquises et expérimentées à travers le vécu quotidien de centaines de personnes évoluant dans les milieux les plus divers.

Sans doute remarquerez-vous, au fur et à mesure de la progression de votre lecture, que je n'ai rien inventé de nouveau à propos de l'art de vivre heureux. Mon rôle, en tant qu'auteur, ne consistait pas à inventer vraiment de nouvelles recettes de bonheur. Non, car les véritables auteurs dans un livre sur le bonheur, ce sont ceux et celles qui créent le bonheur en le vivant jour après jour. Mon rôle, donc, a uniquement consisté à rassembler mille et une petites recettes que j'ai pris soin d'observer ici et là sur la longue et magnifique route de la vie, et enfin de vous présenter le tout sous la forme du présent volume. En somme, j'ai procédé comme le font les cuisinières lorsqu'elles décident de publier un livre de recettes culinaires. Donc, aucune gloire ne me revient puisque je ne vous apporterai rien de nouveau que vous ne sachiez déjà.

J'ai rédigé ce livre à partir du fait que je n'ai jamais

oublié ce qu'un sage m'a dit un jour: «Le meilleur moyen de conserver une vérité, et la multiplier, consiste à la partager avec autrui!» Et ce même sage m'a encore dit ceci: «Enseigner autrui, c'est réapprendre soi-même!»

L'Auteur

Chapitre **1**

Le don inestimable de la vie

«Que pourrait bien donner un homme en échange de sa vie?» C'est ce genre de question que souleva un jour le plus grand personnage qui ait jamais foulé le sol de notre planète. Quelle grande vérité renfermée dans une toute petite question! Et vous, que demanderiez-vous en échange de votre vie? Cent mille dollars? Un million de dollars? Mille milliards de dollars? En somme, combien d'argent désireriez-vous obtenir en échange de votre vie?

Sans doute êtes-vous pas mal embêté par ce genre de question. Si c'est le cas, alors veuillez vous considérer comme tout à fait normal, car tout être humain raisonnablement sensé aurait beaucoup de difficultés à établir, en dollars de papier, une estimation même superficielle de sa propre vie.

La prochaine fois que vous serez tenté de proclamer à votre entourage que telle personne que vous connaissez ne vaut pas grand chose, alors pensez donc à la somme d'argent que vous aimeriez recevoir en échange de votre vie. Ainsi, grâce à cette estimation, vous deviendrez mieux à même de comprendre qu'en ce monde, aucune vie humaine, si insignifiante puisse-t-elle paraître, ne peut absolument pas ne pas valoir grand chose.

Notre humanité a vu défiler quantité de vedettes dans tous les domaines imaginables. Qu'il s'agisse du monde du spectacle, de celui des affaires ou de la politique, du secteur scientifique, de la guerre ou du crime, chacune de ces facettes de l'activité humaine a su produire ses vedettes. Mais quel que soit le genre de gloire qu'aient pu goûter les vedettes de notre monde, à un moment ou l'autre de l'histoire, aucun être, si glorieux qu'il ait été, n'aurait absolument rien reçu s'il n'avait été doté du don inestimable de la vie.

Qu'en est-il de la gloire que possédaient tous les glorieux maintenant qu'ils sont dans un état de repos prolongé dans leurs sépulcres, privés du souffle de la vie? A quoi peuvent bien leur servir toutes ces gloires qu'ils ont reçues alors qu'ils se sont transformés en poussière dans l'inconscience de la mort? Oui, même si une personne a pu accéder aux gloires humaines les plus prestigieuses, toutes les gloires acquises sont de très peu de valeur comparées au don précieux et inestimable du souffle de vie.

C'est bien connu de tous que, de son vivant, Elvis Presley était l'une des plus grandes vedettes qu'ait pu produire notre humanité. Mais à quoi peuvent bien servir la gloire et les millions que possédait Elvis Presley maintenant qu'il n'est plus à même de jouir de l'inestimable don de la vie?

Ainsi en est-il de tous les grands de ce monde qui ont, à une époque ou une autre, goûté à une gloire humaine presqu'inimaginable. On peut se demander à quoi peuvent servir tous ces prestiges reçus à tous ces morts qui ne peuvent plus respirer, ni voir, ni entendre, ni même se régaler de la saveur d'une délicieuse pomme fraîchement cueillie.

Il y a des êtres humains qui, à certaines époques de l'histoire, ont été à même d'accumuler des fortunes colossales. Qu'il s'agisse des pharaons de l'antique Egypte, ou des Césars romains, plus aucun de ces riches «Crésus» du passé n'est à même de profiter de la plus infime piécette de monnaie de leurs fabuleux trésors.

Alors, la prochaine fois que vous serez tenté de vous questionner à propos de la valeur de la vie, songez donc à tous ces glorieux morts, vous qui possédez toujours l'inestimable souffle de vie à l'intérieur de votre être.

Si j'insiste pour attirer votre attention sur certains faits historiques à propos de la gloire humaine, le but que je vise est uniquement de vous amener à réfléchir à ceci: Rien n'a plus de valeur en ce monde que le don inestimable de la VIE!

À quoi pourrait bien servir d'accumuler toutes sor-

15

tes de recettes, toutes plus compliquées les unes que les autres, dans le but de s'enrichir ou de dominer les autres, si l'on n'est pas à même de goûter pleinement au don merveilleux de vivre heureusement notre vie?

Si jamais l'idée vous venait un jour que la vie ne vaut pas grand chose, alors considérons, si vous le voulez bien, quelques brefs aspects de la valeur de la vie en nous basant sur certains éléments qui nous sont bien familiers.

Considérons l'exemple de l'électricité. Notre mode de vie actuel est tellement influencé par cette énergie essentielle qu'est l'électricité qu'il est très rare que nous nous arrêtions pour réfléchir sur les innombrables et précieux services que peut nous procurer l'électricité. Bien sûr, la plupart des gens parlent de l'électricité lorsque le compte de l'Hydro arrive dans leurs boîtes aux lettres. En effet, l'électricité coûte de plus en plus cher de nos jours, et il n'y a guère de gens qui trouvent agréable le fait de devoir amputer leur budget d'une tranche aussi importante que celle qui est assignée à l'électricité.

Mais les questions de budget mises à part, l'électricité est une chose bien plus précieuse que les seuls kilowatts que nous pouvons payer à la compagnie qui nous fournit des services. Ce que nous acquittons en argent, soit les kilowatts utilisés, ne constitue qu'une infime partie des innombrables services que peut nous rendre cette précieuse source d'énergie. À part le fait d'éclairer nos demeures et nous apporter chaleur et

réconfort, l'électricité nous rend une foule d'autres services qui ne peuvent absolument pas s'évaluer en kilowatts ni en papier-monnaie.

Par exemple, comment pourrions-nous évaluer la
joie de pouvoir regarder un beau film intéressant à
la télévision? Sans l'énergie produite par l'électricité,
il ne nous serait peut-être pas possible de goûter à
la joie et au plaisir d'un bon film télévisé. La joie ne
pouvant être évaluée, alors comment, dans ce cas
précis, pourrions-nous évaluer à sa juste valeur
l'électricité?

Voici un autre exemple, toujours en rapport avec
l'électricité. Vous êtes réuni avec quelques bons amis,
autour d'une bonne table dans un bon restaurant.
Tout le monde se régale à satiété d'une variété de plats
savoureux qui ont été cuisinés avec le plus grand soin
et cuits sur la cuisinière électrique dans la cuisine du
restaurant en question. Bien qu'il soit possible d'estimer en argent la valeur de l'électricité utilisée pour
la cuisson de tous ces plats savoureux, comment
serait-il possible d'évaluer à sa juste valeur toute la
joie que peuvent goûter des amis lorsqu'ils sont ras-
semblés autour d'une même table en train de savourer un repas succulent? Il est possible d'évaluer le coût
des kilowatts d'électricité, mais pas la joie.

Votre enfant est présentement dans une salle d'opération à l'hôpital et il est en train de subir une délicate
intervention à coeur ouvert. Il s'agit vraiment d'un cas
de vie ou de mort, le tout dépendant de la réussite

ou de l'échec de l'opération. Dans une telle situation, n'êtes-vous pas heureux ou heureuse de savoir qu'il y a suffisamment d'éclairage dans la salle d'opération pour pouvoir permettre au chirurgien et à ses assistants de bien voir tout ce qu'ils sont en train de faire à votre cher enfant? Il est bien certain que, dans une telle situation, l'électricité qui contribue à bien éclairer la salle d'opération a pas mal plus de valeur à vos yeux que le seul coût des kilowatts, n'est-ce pas?

Cette précieuse source d'énergie que constitue l'électricité fait tellement partie intégrante de nos existences que nous en sommes arrivés au point de vivre notre petit train de vie sans presque jamais y penser, sauf, bien sûr, lorsque le compte de l'Hydro atterrit dans nos boîtes à malle, ou bien quand nous manquons d'électricité. Il arrive souvent, d'ailleurs, que c'est seulement lorsque nous sommes privés d'électricité, comme de toute autre chose pratique, que nous nous mettons enfin à réfléchir à sa véritable valeur.

Ainsi en est-il souvent avec la vie. Nous refusons obstinément de réfléchir à la valeur inestimable qu'elle devrait avoir pour nous, humains, jusqu'au jour où nous tombons malades, ou que nous sommes tristes et malheureux, ou bien lorsque la mort vient nous ravir cruellement la précieuse compagnie d'un être cher que notre petit égoïsme quotidien nous empêchait d'apprécier à sa juste valeur.

Le simple fait de considérer certains de nos organes, ou de nos membres, peut aussi nous aider à élargir quelque peu notre vision à propos de la valeur que nous devrions accorder à la précieuse vie qui circule en nous.

D'un point de vue strictement biologique, le cerveau qui se trouve à l'intérieur de notre boîte crânienne n'a guère plus de valeur qu'une cervelle de jeune veau. Et que vaut de la cervelle de veau, sinon quelques pauvres dollars le kilo! Donc, si nous tenons compte du fait que notre propre cerveau pèse approximativement un kilo, on ne peut pas dire que nous ayions une fortune dans la tête, toujours biologiquement parlant, bien entendu. Ce serait tout simplement ridicule de chercher à évaluer la valeur de notre cerveau à partir de son aspect purement biologique, car, considérée sous cet angle, notre valeur physique globale serait plus minime que celle d'un jeune veau de cent kilos qui ne serait âgé que de quelques mois.

Mais hâtons-nous d'abandonner l'aspect biologique de notre cerveau et transportons-nous dans un autre aspect, beaucoup plus encourageant.

Notre cerveau, constitué d'une cinquantaine de milliards de cellules, est capable de réaliser les prodiges les plus stupéfiants. On a souvent cherché à comparer le cerveau humain à un ordinateur, mais même l'ordinateur électronique le mieux conçu n'est qu'une bien pâle comparaison du cerveau humain. On peut même avancer que, comparé au prodigieux cerveau qui se trouve à l'intérieur de chaque crâne humain, l'ordinateur électronique le plus moderne et le plus perfectionné n'est qu'un minuscule gadget primitif de l'âge des ténèbres. Bien sûr, un tel ordinateur peut travailler souvent plus vite qu'un cerveau encrassé par l'ignorance. Mais aucun ordinateur fabriqué par la main de l'homme ne peut réaliser tout ce que le cerveau humain peut faire.

Grâce à notre cerveau, nous sommes à même d'apprendre, presqu'à l'infini, toutes sortes de connaissances nouvelles et pratiques. Notre cerveau nous permet aussi de penser, réfléchir, décider, choisir, méditer. Que dire maintenant de la prodigieuse faculté de la mémoire qui est à l'intérieur de notre cerveau? Il nous suffit d'avoir lu, vu, entendu, senti ou touché une nouvelle connaissance une seule fois pour l'enregistrer de façon indélébile dans la partie mémoire de notre cerveau. Et, au moment précis où nous aurons besoin de telle connaissance, notre prodigieuse mémoire, des années plus tard même, nous rappellera instantanément l'information appropriée. Nous pouvons ainsi emmagasiner dans notre formidable mémoire des milliards et des milliards de connaissances pratiques, voire essentielles. N'est-ce pas tout simplement prodigieux de la part d'un seul kilo de cervelle!

Il ne faut pas oublier que notre fantastique cerveau est en activité constante, vingt-quatre heures par jour, et qu'il fonctionne sans se fatiguer et sans que nous ayions à nous en occuper de quelque manière que ce soit. Tout ce que nous avons à faire, c'est d'emma-gasiner des informations par le canal de nos cinq sens et, sans que nous en ayions même conscience, notre prodigieux cerveau, ou fantastique ordinateur mental si vous préférez, fait le reste.

Au fait, si nous cessons de comparer le cerveau humain à de la cervelle de veau, à combien pourrions-nous donc estimer la valeur de notre propre cerveau? Un million de dollars? Mille milliards de dollars? D'après vous, ce n'est pas assez! Non, ce n'est pas suffisant, et vous avez parfaitement raison.

Comme on a pu le constater à travers l'exemple du cerveau humain, la valeur que nous sommes sou-vent tentés d'accorder aux choses, à partir de leur aspect strictement technique, est pas mal relative. Perçu dans son aspect purement biologique, il est exact de dire que le cerveau humain ne vaut guère plus qu'une poignée de dollars, sinon moins. Mais perçu, et globalement estimé à travers le contexte de vie humaine qui est en nous, notre cerveau acquiert alors une valeur tout simplement inestimable. À juste titre, aucun être humain vivant, le moindrement sensé, n'oserait même penser échanger son propre cerveau contre tous les milliards de dollars que pour-raient produire tous les gouvernements de notre planète.

Donc, si notre cerveau, à lui seul, a une telle valeur inestimable, à combien pourrions-nous estimer la vie globale qui est en nous? Qui pourrait donc soumettre un chiffre?

Ainsi en est-il de tous les autres éléments physiques de notre organisme. Chacun d'eux, estimé dans le contexte global de la vie humaine, atteint une valeur tout simplement inestimable qui ne manque pas de nous permettre d'entrevoir ne serait-ce qu'une infime partie de la valeur globale que peut revêtir la vie humaine elle-même qui circule au-dedans de nous.

Un jour, un agent d'assurances sur la vie s'est présenté chez moi dans le but de m'offrir une police d'assurance qui couvrait la perte des divers membres de mon corps. C'est intéressant de constater que même aux yeux des compagnies d'assurances, les divers membres du corps humain revêtent tout de même une certaine valeur marchande. Par exemple, pour la perte d'un oeil, la police d'assurance que cherchait à me vendre l'agent en question payait une somme de dix mille dollars à l'époque. L'indemnité pouvait doubler advenant la perte des deux yeux.

Dans la même police, la perte d'un pied pouvait rapporter cinq mille dollars. Ainsi en était-il de la perte d'un bras. Même le fait de perdre un seul bout de doigt pouvait rapporter quelques centaines de dollars.

Si les compagnies d'assurances, dont la seule raison d'exister consiste à faire des affaires et des profits, sont quand même tout à fait disposées à payer plusieurs milliers de dollars pour la perte de chacun des membres de notre corps, n'est-ce pas là un indice certain de la grande valeur de l'organisme humain? Car si les compagnies d'assurances versaient leurs indemnités à partir de la valeur marchande de la viande de boucherie, on peut facilement en déduire qu'un bout de doigt ne vaudrait pas grand chose.

Par exemple, si les compagnies d'assurances payaient pour un oeil humain le même prix que vaut un oeil de bovin, le risque de recevoir quelqu'argent serait bien mince. Mais si les compagnies d'assurances sont disposées à verser plusieurs milliers de dollars en échange de la perte d'un seul oeil humain, cela ne donne-t-il pas quelqu'indice à propos de la valeur globale de l'être humain dans son entier?

Encore une fois, si nous cherchions à établir une valeur marchande de l'ensemble de notre corps en nous basant sur les prix du marché qui prévalent pour la chair des animaux, nous serions tout à fait désavantagés au départ. Car aucun être humain n'est intéressé à faire le commerce de la chair humaine comme nous le faisons couramment pour la chair animale ou celle des poissons. Donc, vouloir établir la valeur de l'humain en comparant le tout aux animaux ne nous mènerait nulle part ailleurs que dans un cul-de-sac. D'un point de vue strictement commercial, le corps humain n'a pour ainsi dire aucune valeur étant donné que très rares sont ceux qui oseraient s'adonner au cannibalisme.

La même chose prévaut aussi dans le domaine de la chimie. Comme il a déjà été établi que la valeur d'un corps humain pouvait atteindre une centaine de dollars, chimiquement parlant, ce serait donc pas mal démoralisant de chercher à établir une estimation raisonnable de l'être humain à travers cet autre secteur.

Mais la valeur de nos membres, de nos organes et de notre organisme en général change tout à fait de proportion lorsque nous nous appliquons à estimer la valeur de l'humain à travers son véritable contexte, celui de l'être humain intelligent, soit le contexte que chacun de nous est constamment à même d'apprécier jour après jour.

Par exemple, considéré dans tout le contexte de l'être humain, combien d'argent exigeriez-vous en échange de vos deux yeux? Sincèrement, seriez-vous disposé à vous départir de vos deux yeux, disons pour une somme fabuleuse de cent millions de dollars? Pour un instant, songez à tout ce que vous pourriez vous procurer avec une telle fortune. Cependant, même pour une telle somme, je suis absolument persuadé que vous y penseriez deux fois avant d'accepter ce drôle de marché. Je suis tout à fait convaincu que vous préféreriez végéter dans la pauvreté extrême plutôt que de vous transformer en multimillionnaire aveugle.

À l'heure où j'écris ces lignes, je sais qu'il y a de par le monde des centaines, voire des milliers d'êtres humains qui n'hésiteraient pas à donner tout ce qu'ils possèdent en échange d'un coeur, de reins ou de poumons normaux et sains. Ces pauvres êtres sont conscients du fait qu'à moins de recevoir en transplantation ces organes vitaux, leurs jours de vie sont définitivement comptés. Mais quel être vivant, doté de tels organes précieux et en bonne santé, serait disposé à se départir de son coeur, de ses deux reins ou de ses poumons afin de permettre à d'autres êtres de continuer à vivre une existence normale? Bien entendu, nous prétendons tous aimer notre prochain comme nous-mêmes personnellement; mais l'aimons-nous au point de lui céder nos organes les plus vitaux? Non, probablement pas à ce point! Nous aimons certainement les autres, peut-être comme nous nous aimons nous-mêmes; cependant, nous aussi nous tenons à la vie, ce que signifie le fait de s'aimer soi-même.

La prochaine fois que vous serez tenté de conclure hâtivement que la vie ne vaut pas la peine d'être vécue, ou que vous vous surprendrez à vous demander «À quoi ça sert de vivre?», alors prenez donc quelques minutes de votre temps et profitez-en pour passer en revue quelques-uns de vos organes, ou membres vitaux.

Par exemple, considérez votre cerveau, votre coeur, vos yeux, vos poumons, ou bien votre foie. À travers votre solitude et votre tristesse, essayez donc d'estimer la valeur monétaire que vous aimeriez recevoir en échange de ces quelques parties vitales de votre organisme. Ce faisant, vous verrez qu'en relativement peu de temps, vous ne manquerez certainement pas d'arriver à l'heureuse conclusion raisonnable que la vie globale qui circule en vous est loin de ne valoir rien. Peut-être bien en arriverez-vous vite à la conclusion que si la vie ne vaut pas la peine d'être vécue, n'empêche que rien ne peut valoir une seule vie!

Chapitre 2

Comprendre
le sens de vivre

Un vieux proverbe mentionne qu'il importe de toujours flatter une bête dans le sens du poil. J'ai pris le soin de vérifier cet énoncé à quelques reprises dans ma vie, et j'ai effectivement remarqué qu'à chaque fois que j'essayais de flatter un chat ou un chien dans le sens contraire de son pelage, la bête avait plutôt tendance à mal réagir. Mais j'ai toujours eu la nette impression qu'une bête réagissait mieux à chaque fois que je prenais le soin de la caresser doucement dans le sens de son poil. Voyez-vous, même les bêtes ont un sens par lequel nous devons les aborder. Tenter de les amadouer dans leur sens contraire, c'est courir le risque de les irriter.

Dès mon jeune âge, je me rappelle que j'ai toujours été passionné pour les horloges, les cadrans et les montres de toutes sortes. Je n'ai jamais pu m'empêcher de trouver fantastique le fait que l'être humain ait pu concevoir un instrument aussi pratique qu'une montre ou une horloge. Mais en plus du tic tac continuel qui éveillait ma jeune curiosité, une autre caractéristique propre à toutes les montres a aussi attiré mon attention. Il s'agit du fait que les montres et les horloges, sauf certains modèles, sont dotées d'aiguilles qui tournent toutes dans le même sens, c'est-à-dire de gauche à droite. En fait, ne dit-on pas parfois d'une chose, en tentant de l'expliquer, qu'elle tourne dans le sens des aiguilles d'une montre? Si les aiguilles des horloges et des montres en sont arrivées à servir de base à une vieille maxime, il va sans dire qu'une montre serait considérée comme anormale s'il fallait que ses aiguilles se mettent à tourner dans le sens contraire de celui qui est habituellement connu et universellement accepté.

Que dire maintenant de la planète Terre, cet immense vaisseau spatial qui n'arrête pas de tourner? Quand a-t-on eu connaissance du fait que notre planète ait soudainement changé le sens dans lequel elle tourne habituellement? Le fait est bien connu, et ceci depuis toujours, que jamais notre bonne vieille Terre n'a tourné dans un autre sens que celui que nous lui connaissons bien, c'est-à-dire d'ouest en est. Le sens permanent dans lequel notre planète tourne est si régulier et habituel qu'il nous est possible de déterminer avec une très grande précision l'heure de chaque lever et coucher du soleil, ceci des mois à l'avance. De même, la trajectoire dans laquelle évolue annuellement la planète Terre est si précise et régulière que nous sommes à même d'établir les calculs les plus précis à propos de la venue des saisons, ainsi que la position de la Terre par rapport aux autres planètes et les astres qui nous entourent.

Passons maintenant au domaine de la végétation. Le printemps venu, le cultivateur prépare ses champs et les ensemence. Ensuite, un peu plus tard, vers la fin de l'été ou au début de l'automne, le cultivateur récolte le fruit de ses semences. Mais dans le cas de la végétation, comme dans celui des aiguilles d'une montre, ou de la rotation de la Terre, avez-vous remarqué que tout le processus de croissance de la végétation se déroule dans un sens très précis et permanent, c'est-à-dire à partir du bas en allant constamment vers le haut, jusqu'à ce que les plantes semées aient produit leurs fruits?

On n'a jamais vu la végétation produire des fruits dans le sens contraire que celui que nous connaissons depuis toujours. Jamais nous n'avons eu connaissance qu'une plante se soit développée en commençant par la tête, ou ses fruits, et en se dégradant graduellement vers ses racines, ceci jusqu'au point de redevenir une toute petite graine de semence.

Le processus de la végétation a toujours progressé à partir du bas en allant vers le haut, c'est-à-dire de la graine semée en progressant graduellement vers les fruits se trouvant dans la tête; et il est absolument certain que ce processus normal de la croissance n'est pas près de changer. Donc, on peut dire que la croissance normale, en ce qui concerne la végétation, ne peut se dérouler qu'à la stricte condition que tout le processus évolue dans le bon sens, soit celui qui est normalement connu et universellement accepté par toute l'humanité.

Il en est de même pour le développement de l'être

humain. À la naissance, l'être humain pèse environ trois à quatre kilos, et, ensuite, il se développe dans le sens normal de la croissance, c'est-à-dire qu'il évolue vers sa tendance normale à devenir un humain adulte. Encore une fois, nous n'avons jamais entendu parler qu'un être humain se soit développé dans le sens contraire de celui qui est normalement connu et accepté de tous les humains. Imaginez pour un instant quel effet aurait sur l'humanité la nouvelle qu'un être humain se serait développé dans le sens contraire de la croissance normale. Quand a-t-on entendu parler qu'un être humain, adulte, ait régressé au point de partir de son état d'adulte et soit allé jusqu'à l'état embryonnaire? Un tel phénomène serait, et avec raison, considéré comme étant tout à fait anormal.

Les quelques exemples qui viennent d'être mentionnés ne visent qu'un seul but: nous aider à bien comprendre, et surtout à bien nous pénétrer du fait que tout, dans l'univers qui nous entoure, porte à nous persuader qu'il n'y a qu'UN SEUL SENS normal et logique dans lequel se doivent d'évoluer les choses pour qu'un résultat concret et pratique puisse être finalement atteint.

Imaginez un peu ce qui risquerait de se produire au sein de l'humanité s'il fallait que, soudainement, la plupart des processus habituels et normalement connus des choses qui évoluent autour de nous se mettaient à changer de sens. Essayez d'imaginer quel effet aurait sur l'humanité le choc de la planète Terre qui, soudain, manifesterait le désir de tourner dans le sens contraire de celui dans lequel elle évolue habituellement, c'est-à-dire qu'elle s'arrêterait et se mettait à tourner de l'est en allant vers l'ouest. Le choc que nous subirions alors serait tellement violent que tout ce qui se trouve sur la terre serait subitement tout à fait perturbé.

Afin de vous aider à mieux comprendre quels effets catastrophiques risquent de se produire lorsque les choses insistent pour évoluer dans un autre sens que celui qui est normalement connu et accepté de tous, essayez de vous imaginer les conséquences désastreuses qui risqueraient de s'ensuivre s'il fallait que toutes les espèces de végétations alimentaires se mettaient soudain à évoluer dans le sens de la régression plutôt que celui de la croissance.

Ou, comment réagiriez-vous s'il fallait qu'un beau matin, vous commenciez à vous apercevoir que votre organisme est en train de régresser vers son état primitif de bébé, puis d'embryon? Imaginez quels sentiments seraient alors les vôtres si, après une visite d'urgence à l'hôpital, les meilleurs médecins vous disaient que le processus de rétrogression qui est engagé dans votre organisme va finalement aboutir à votre état primitif d'adolescent, d'enfant, de bébé, puis d'embryon, ceci jusqu'à votre non-existence dans le néant. Au fait, qui aimerait subir un tel processus de rétrogradation à un moment ou un autre de l'évolution normale du développement de tout son être, qu'il s'agisse du physique, du mental, du moral, de l'affectif ou du spirituel?

Nous n'avons pas d'autre choix que celui d'en arriver à la conclusion que tout, dans la création qui nous entoure, évolue dans un sens habituellement connu de tous et universellement accepté comme normal. Toute la nature animée, et même les cours d'eau, nous communiquent donc la précieuse leçon suivante: Tout, dans la vie, ne peut espérer croître et mûrir au point de porter du fruit qu'à la stricte condition d'évoluer dans le sens normal et logique du processus connu et accepté de tous. Chercher à aller à l'encontre du processus normal des choses, c'est courir le risque d'aller irrémédiablement à la catastrophe.

Alors, une seule leçon logique et raisonnable se dégage de tout l'enseignement que la nature même cherche à nous communiquer. Si tout, dans la vie qui évolue tout autour de nous, progresse dans un seul sens normal connu, alors pour quelle raison en serait-il autrement pour nous, êtres humains intelligents qui constituons en fait le merveilleux chef-d'oeuvre de toute cette splendide création qui nous entoure?

S'il est logiquement admis que les choses tourneraient mal, et que les résultats seraient catastrophiques pour tout ce qui chercherait à se déroger aux lois normales de l'évolution des choses, alors pour quelle raison en serait-il autrement pour nous?

Si la planète Terre, la végétation, la croissance biologique se doivent d'être encadrées dans des lois précises afin de pouvoir poursuivre, avec d'heureux effets, leur processus d'évolution et de croissance, alors quelle raison raisonnable aurions-nous de penser que les choses devraient être différentes pour nous, êtres humains qui avons lieu de résidence au sein de toutes ces choses qui évoluent sans cesse tout autour de nous?

Comprendre enfin le sens de vivre de l'être humain, c'est d'abord parvenir à la découverte logique et raisonnable que l'être humain que nous sommes ne peut harmonieusement se développer intérieurement, au point d'atteindre enfin le véritable bonheur de vivre, qu'à la stricte condition d'accepter volontairement de vivre et d'évoluer dans un encadrement de vie qui soit à la fois normal et sensé.

Si la végétation est, elle, soumise à des lois naturelles de croissance, lesquelles lois lui permettent d'atteindre son plein épanouissement au point de produire du fruit, soit cent fois autant, ainsi en est-il pour l'être humain. Le seul moyen naturel de parvenir au plein épanouissement de tout notre être, de nous développer intérieurement au point de produire les magnifiques fruits humains que nous devrions normalement irradier autour de nous, c'est d'accepter volontairement d'évoluer dans l'encadrement de lois morales très précises, tout à fait acceptables et à notre portée à tous, si toutefois nous manifestons la moindre bonne volonté à l'égard de telles lois.

S'il est universellement connu de tous que la végétation se doit de croître dans un certain milieu qui lui est favorable pour qu'elle puisse enfin se développer et produire du fruit, il en est exactement ainsi pour nous, êtres humains. Si la végétation doit se développer dans une ambiance équilibrée d'humidité, de chaleur, de vent, le tout bien implanté dans un sol équilibré en matières minérales, ainsi en est-il pour nous, êtres humains. Nous ne pouvons espérer nous développer intérieurement, et ainsi aspirer au bonheur légitime qu'il y a à vivre qu'à la condition logique de nous soumettre volontairement aux diverses lois morales naturelles qui régissent notre encadrement humain.

Voici quelles sont quelques-unes des lois morales qui doivent raisonnablement encadrer le processus de sain développement intérieur auquel aspire tout être humain le moindrement raisonnable.

Parmi les lois qui font partie de l'encadrement en question, citons l'honnêteté, la fidélité, le courage, la vérité, l'amour, la patience, la longanimité, la bonté, la bienveillance, l'économie, le sens de la responsabilité, le tact, la politesse, le travail, la recherche et la poursuite de la paix, le bon exemple, la douceur, la maîtrise de soi, et d'innombrables autres encore.

Les quelques lois ci-dessus mentionnées constituent en quelque sorte le milieu où l'ambiance dans lequel l'être humain qui aspire à son plein épanouissement intérieur se doit d'alimenter toutes les racines de son être.

De même que la plante doit puiser avec ses propres racines, à même le sol, tous les minéraux essentiels à sa croissance, ainsi en est-il de l'être humain que nous sommes. C'est seulement en puisant de tout notre être à même les lois morales qui nous régissent, ou dans les «minéraux» qui constituent notre environnement immédiat, que nous pourrons alors espérer croître et nous développer intérieurement au point de produire enfin tous les fruits correspondant aux précieuses lois qui nous encadrent. Et lorsque cette croissance baigne dans une ambiance de paix, de bonté et d'affection, alors nous pouvons, à n'en pas douter, espérer récolter les fruits les plus fantastiques.

L'être humain que nous sommes n'a pas d'autre choix que celui qui consiste à accepter de bon gré de vivre dans le bon sens, c'est-à-dire dans le sens logique et raisonnable qui nous a été assigné. Chercher à se dérober du sens normal de vivre qui s'applique à l'humain, c'est courir irrémédiablement à notre perte.

D'ailleurs, pourquoi croyez-vous qu'il y ait tant de problèmes humains à notre époque? Troubles émotifs de tous genres, dépressions nerveuses, foyers brisés, divorces, décadence morale, paresse, manque de positivisme? Ce ne sont là que quelques-uns des symptômes évidents indiquant que pas mal d'individus de notre temps évoluent effectivement dans le sens contraire de la vie normale.

L'être humain qui choisit de bon gré de vivre dans le sens normal de la vie, en s'adaptant et en s'ajustant à cet univers fantastique et équilibré qui nous entoure, cet être-là n'a absolument pas à redouter quoi que ce soit de négatif de la merveilleuse vie. De même qu'on n'a pas à redouter les morsures d'un gros chien, pourvu qu'on apprenne à le prendre dans le bon sens qui lui convient, ainsi en est-il avec la vie. On n'a absolument pas à craindre quoi que ce soit de la merveilleuse vie quand on accepte enfin de la vivre dans le bon sens, c'est-à-dire sainement et harmonieusement.

On pourrait comparer la vie à une énorme manufacture; une immense usine dont le seul but consiste à produire un superbe produit fini se nommant «Bonheur». De même qu'une manufacture ordonnée et équilibrée produira d'excellents produits, ainsi en est-il avec notre vie. Elle aussi produira assurément tous les produits nécessaires à notre bonheur humain légitime tant et aussi longtemps que nous manifesterons un comportement d'être raisonnable, équilibré, sensé, voire normal.

S'il est généralement admis qu'un seul ingrédient entrant dans les matières premières dans une manufacture peut ruiner un produit fini, ainsi en est-il avec notre propre vie. Briser une seule des lois qui nous encadrent, c'est courir le risque d'altérer notre bonheur quotidien, soit ce merveilleux produit fini qui nous tient tant à coeur.

Mais que signifie encore pour l'être humain le fait de vivre dans le bon sens?

Vivre dans le bon sens, c'est apprendre sans cesse à découvrir les prodigieuses lois fondamentales qui constituent les racines mêmes de la vie humaine. S'il est requis d'une plante qui aspire à son parfait développement que ses racines s'alimentent dans un sol parfaitement équilibré en matières minérales abondantes et d'excellente qualité, ainsi doit-il en être de notre développement humain. Tout être humain, quelqu'il soit, ne peut espérer atteindre le plein épanouissement intérieur, et ainsi accéder au bonheur intense de vivre, qu'à la stricte condition de savoir puiser de tout son être à la source même des formidables lois qui constituent l'encadrement par excellence de toute vie humaine normale, équilibrée, productive, harmonieuse et finalement heureuse.

L'être humain qui fait de la vérité son mode de vie quotidien, qui s'applique constamment à pratiquer l'amour et la bonté, qui fait de l'honnêteté sa maxime préférée, et qui enfin respecte toutes les lois humaines fondamentales connues, cet être-là n'a absolument pas à se faire du souci à propos de quoi que ce soit dans la vie.

Considérons l'exemple d'un travailleur honnête et économe qui, tout en accomplissant de l'excellent travail pour la compagnie qui l'emploie, dépose régulièrement en banque une certaine partie de ses revenus hebdomadaires. Une telle personne aurait-elle des raisons valables de redouter quelque revers économique que ce soit? Absolument pas, n'est-ce pas!

Ainsi en est-il de l'être qui apprend l'art qui consiste à vivre dans le bon sens. Si nous nous appuyons sur cette vieille vérité éprouvée qui affirme qu'on récolte toujours ce que l'on a semé, la personne qui s'applique à vivre dans le respect quotidien de toutes les règles et principes de la vie aurait-elle des raisons valables de redouter quoi que ce soit de négatif venant de la vie même? Absolument pas!

Résumons donc les grandes lignes qu'il convient de retenir de ce chapitre.

D'abord, toute vie matérielle qui nous entoure tend absolument à nous communiquer les précieuses leçons de vie suivantes: Tout tourne dans un seul sens dans la vie, qu'il s'agisse de la rotation de la planète Terre, de la croissance de la végétation, ou encore du sens dans lequel tournent les aiguilles d'une montre.

Ensuite, ce que la vie matérielle qui évolue sans cesse tout autour de nous tend à nous démontrer, c'est ceci: Tout ce qui évolue dans le bon sens, c'est-à-dire dans le sens harmonieusement connu et universellement accepté, parvient à produire tôt ou tard toutes sortes d'heureux résultats.

Voici ce qu'il importe encore de retenir de notre exposé. Si la vie matérielle qui nous entoure ne paie d'heureux résultats qu'aux seules choses qui évoluent dans le bon sens, alors pour quelle raison en serait-il autrement des êtres humains? Qu'est-ce qui nous per-

met de penser et de croire que la vie devrait s'engager à nous inonder de bonheurs quotidiens de toutes
sortes alors que nous insisterions pour vivre dans le
sens contraire des lois harmonieuses qui encadrent
sainement et raisonnablement l'être humain?

En résumé, ce qu'il importe de bien comprendre
avec les affaires de la vie, c'est que nul être ne peut
s'attendre de récolter des intérêts sur des économies
qu'il n'aurait jamais déposées à la banque. Oui, la vie
s'engage à ouvrir toutes grandes les portes de ses coffres d'heureux fruits et de bonheurs insoupçonnés
qu'aux seuls êtres qui choisissent de jouer franc jeu
avec elle, soit uniquement à ceux et celles qui vivent
quotidiennement dans le bon sens.

Chapitre 3

Faites donc un bilan de votre vie

Un de mes amis avait un jour un commerce qui lui causait pas mal de problèmes. Un jour, en sirotant un café avec cet ami, celui-ci me fit part du fait qu'il n'avait pas d'autre alternative que celle de déclarer faillite. Tout en me faisant cette déclaration, le pauvre homme était passablement découragé, et avec raison d'ailleurs, puisque les durs efforts de plus de vingt ans de travail et d'économie allaient s'envoler en poussière dans la faillite imminente.

Après avoir sympathisé avec mon ami, je lui mentionnai que, selon moi, il restait une dernière chose à essayer avant de déclarer faillite. J'expliquai à mon ami que je connaissais un excellent comptable agréé qui se ferait sûrement un grand plaisir d'examiner les livres comptables de l'entreprise qui était désormais au bord de la faillite.

Le lendemain, tel que convenu, nous nous rendîmes au bureau du comptable en question. Durant plus d'une heure, mon ami lui détailla toute la comptabi-

41

lité actuelle de son entreprise. Il va sans dire que l'affaire était loin d'être rose. Après avoir entendu l'explication de tous les détails que fit mon ami à propos de l'état financier de son entreprise, je ne voyais guère de solution positive à proposer qui aurait pu sauver le commerce en question. Mais je me gardai bien de laisser voir mon pessimisme, ceci afin de ne pas décourager mon ami. Dans le fond, j'étais confiant que le comptable, après un examen attentif de la situation, aurait bien une solution autre que la faillite à proposer.

Effectivement, le comptable trouva la solution aux problèmes de mon ami. Après avoir soigneusement examiné l'état financier de l'entreprise, il décida d'établir un bilan très précis de l'affaire, chose que mon ami n'avait jamais jugé utile de faire. Le comptable expliqua de long en large qu'un bilan précis constituait souvent le seul remède à proposer comme antidote à une entreprise se trouvant au bord de la faillite. Le comptable profita de l'occasion pour nous mentionner à tous les deux, à mon ami et à moi, qu'il était essentiel, voire vital pour une entreprise de faire un bilan financier détaillé et précis, ceci au moins une fois par an. Autrement, expliqua le comptable, comment un chef d'entreprise pourrait-il connaître l'état financier authentique de son entreprise s'il ne fait pas établir un bilan annuel par un comptable compétent?

Le comptable travailla une journée complète sur le dossier, et, le surlendemain, il contacta mon ami afin de lui faire part de son diagnostic. Bien entendu, comme pouvait s'y attendre mon ami, le bilan révéla une situation pas mal négative de son entreprise. Mais ce qui étonna passablement mon ami, ce fut de voir le comptable adopter une attitude positive et lui déclarer solennellement qu'il y avait une lueur d'espoir. Le comptable parvint à convaincre mon ami qu'il n'avait nullement besoin de déclarer une faillite. Le comptable était convaincu qu'avec beaucoup d'efforts et de sacrifices, l'affaire commerciale de mon ami pourrait être remise à flot et pourrait enfin reprendre la mer tout en ayant le vent dans les voiles dans une période de temps relativement courte.

Le bilan détaillé et très précis qu'établit le comptable révéla noir sur blanc à mon ami les lacunes de sa gestion. Ainsi, grâce à ce bilan, et à la mise en pratique rigoureuse des sages conseils du comptable, l'ami en question parvint à sauver son entreprise familiale de la banqueroute. Bien plus, après seulement six mois de durs sacrifices et d'efforts constants, l'entreprise reprit du poil de la bête comme on dit, et, l'année suivante, termina ses opérations avec un excédent de plusieurs milliers de dollars.

Cet exemple authentique nous montre toute la nécessité qu'il y a à établir un bilan détaillé et précis dans une affaire commerciale. Imaginez ce qui risque d'arriver à une entreprise lorsqu'il y a absence de bilan. Ce n'est pas sans raison si tant de commerces échouent dans les déserts de la banqueroute. Bien des propriétaires d'entreprise s'obstinent à poursuivre leurs opérations commerciales sans prendre la peine d'établir des bilans annuels précis, ceci jusqu'au jour où leur fragile embarcation va s'échouer sur les durs récifs de la réalité d'une faillite.

S'il s'avère exact qu'un bilan détaillé et précis, établi par un comptable compétent et consciencieux, constitue un outil de travail très précieux pour une entreprise commerciale, alors pour quelle raison en serait-il autrement pour notre propre vie personnelle?

Si un bilan commercial annuel constitue le miroir par excellence de tout genre d'entreprise, alors pourquoi les choses seraient-elles différentes dans la vie humaine de chacun de nous?

Tout au long de ma vie, j'ai eu l'occasion de côtoyer toutes sortes de gens, des individus heureux et d'autres qui étaient malheureux. Dans tous les cas, sans exception, et j'insiste sur le «sans exception», tous les êtres qui ont pris le temps et le soin d'établir un bilan très détaillé et d'une grande précision de leur existence ont tous réussi à se sortir de l'enlisement de leurs malheurs.

Par exemple, je me souviens qu'un jour j'ai rencontré un couple qui avait pris la décision bien arrêtée de divorcer. Ayant réussi à organiser une rencontre personnelle avec le couple en question, j'invitai les deux conjoints déprimés à prendre chacun une feuille de papier et un crayon. Ensuite, je leur demandai de tracer une ligne verticale en plein centre de la feuille blanche qui se trouvait devant chacun d'eux.

Dans le haut de la feuille, à gauche, je leur demandai d'inscrire en grosses lettres le mot PASSIF; et à droite, toujours en haut de la même feuille, d'inscrire le mot ACTIF, aussi en grosses lettres.

Après avoir expliqué aux deux futurs divorcés que cette feuille qui se trouvait en face de chacun d'eux constituerait le bilan de leur entreprise conjugale, et que, dépendant de l'établissement et de l'état de ce bilan, ils couraient le risque d'aller à la catastrophe conjugale, ou au sauvetage de leur navire conjugal, j'insistai pour leur mentionner toute l'importance qu'il y avait à s'assurer que tout ce qu'ils allaient inscrire sur leurs feuilles respectives soit rigoureusement exact.

Bien entendu, malgré le fait que les deux conjoints en question aient déjà manifesté leur intention bien arrêtée de se séparer, je savais que j'avais affaire à deux êtres intelligents et sensés. Si j'ai pris le soin, et le temps de tout mettre en oeuvre afin d'aider ce couple ami, la raison en était que ma confiance à l'égard de ces deux êtres était assez grande concernant leur jugement.

Je me souviens que j'étais assis à un bout de table à dîner, que le mari se trouvait assis à ma gauche et la femme à droite. Après avoir expliqué aux deux quel était le but visé par l'établissement du bilan conjugal qu'ils étaient sur le point de dresser eux-mêmes, nous étions maintenant prêts à commencer l'opération.

D'abord, je demandai au mari d'inscrire sur la

colonne de gauche de sa feuille, celle des «passifs», les reproches précis qu'il avait à formuler vis-à-vis de sa femme. Ensuite, je procédai de la même façon avec l'épouse. Je leur laissai tout le temps nécessaire afin qu'ils puissent inscrire tout ce qu'ils avaient réellement sur le coeur l'un contre l'autre. En aucune façon ne me suis-je permis d'intervenir. Il convient aussi de souligner le fait que toute cette opération bilan conjugal s'est déroulée dans un sérieux presque religieux.

Après une trentaine de minutes, sans nullement intervenir, je réalisai que les deux époux n'avaient plus rien à inscrire dans les colonnes des passifs de leurs feuilles. Alors, toujours avec sérieux, je leur demandai maintenant de procéder de la même façon avec la colonne de droite se trouvant sur leurs feuilles, mais cette fois-ci en indiquant tous les «actifs», c'est-à-dire tous les bons côtés positifs qu'ils appréciaient l'un de l'autre. Encore une fois, je leur rappelai de n'inscrire que des choses précises, de façon très détaillée.

Enfin, au bout d'une quarantaine de minutes, cette seconde étape de l'opération bilan conjugal était terminée. Ensuite, ensemble, tous les trois, nous nous sommes attelés à la tâche consistant à décortiquer les deux bilans des deux conjoints. Et, en fin de compte, tous les trois, nous avons pu constater, et sommes parvenus à la conclusion que l'actif global du ménage dépassait de très loin les passifs réunis. Dès lors, il me fut relativement facile, faisant appel à l'intelligence de ce couple ami, d'attirer leur attention sur le fait réaliste que la démarche qu'ils avaient décidé d'entreprendre, c'est-à-dire un divorce, devait à présent leur paraître absurde si nous nous basions sur les deux bilans détaillés qui venaient d'être établis, ainsi que sur le bilan global de la situation dans son ensemble.

Je ne m'étais pas trompé à propos de la qualité de l'intelligence de mes deux amis. Tel que je l'avais présumé dans mon esprit, ces deux êtres charmants se sont longuement regardés, puis le mari s'est levé, a contourné la table de la cuisine et est allé prendre sa femme dans ses bras. Vous comprenez maintenant pourquoi j'insiste tant sur l'importance qu'il y a à établir un bilan précis et détaillé de la situation quand les choses semblent vouloir tourner au vinaigre, ou que le navire a tendance à vouloir aller s'échouer sur les récifs destructeurs de la faillite.

Un jour, un jeune ami de notre famille, un garçon de vingt-deux ans, est venu me voir chez moi afin de me parler d'un «énorme» désastre qui était en train de s'amonceler sur toute son existence. Dès l'arrivée du jeune homme à la maison, nous passâmes au salon et, l'ayant mis tout à fait à l'aise, je l'invitai à me raconter tout ce qu'il avait accumulé de négatif dans son coeur de jeune homme. Je savais que ce garçon avait une grande confiance en moi. Il se mit donc à me raconter, et il parla durant une bonne trentaine de minutes. À aucun moment, je n'essayai de l'interrompre. Je l'écoutai religieusement jusqu'au moment où, soulagé, il mentionna qu'il n'avait plus rien à dire.

En résumé, ce que ce jeune homme m'expliqua,

c'est qu'il était profondément découragé à cause du fait qu'il ne parvenait pas à trouver d'emploi convenable ni permanent. Il aimait intensément une brave jeune fille, qui l'aimait bien elle aussi; mais à cause de ses fréquents problèmes d'argent, causés par le manque de travail convenable et permanent, mon jeune ami ne pouvait absolument pas entreprendre de projets valables en vue de son avenir conjugal.

Après avoir remercié le jeune homme en question à propos de la confiance qu'il me témoignait en me considérant assez fidèle pour me confier ainsi ses soucis personnels, je lui mentionnai que, s'il le voulait bien, nous irions nous asseoir à la table de la cuisine afin de dresser un bilan précis et détaillé de toute cette situation problématique. Souriant et sans doute quelque peu étonné d'entendre parler de bilan, mon ami me mentionna qu'il me faisait assez confiance pour accepter de faire tout ce que je lui demanderais de faire. Persuadé que le garçon allait suivre à la lettre les démarches qui se manifesteraient clairement suite à l'établissement du bilan qui allait suivre, je m'empressai d'aller chercher une feuille de papier ainsi qu'un crayon.

Installés tous les deux à la table, l'un en face de l'autre, je plaçai la feuille blanche devant mon ami, lui remis le crayon en lui demandant de tracer une ligne verticale au centre de la feuille de papier. Tout en souriant, le jeune homme s'empressa de tracer la ligne en question.

Ensuite, je demandai à mon ami d'inscrire en grosses lettres le mot PASSIF dans le haut à gauche de la feuille, et, toujours en grosses lettres, d'inscrire le mot ACTIF dans le haut à droite de la même feuille. Nous étions maintenant prêts à débuter l'opération bilan-de-vie de mon jeune ami.

D'abord, je demandai à mon ami d'inscrire sur le côté gauche de la feuille, soit celui des passifs, tous les aspects négatifs de sa situation, de sa personne même. Parmi ces aspects négatifs, il y avait le manque d'emploi bien sûr. Il y avait aussi le manque de compétences nécessaires afin de pouvoir trouver un emploi stable et valable. L'aspect négatif révéla aussi un certain problème en rapport avec la personnalité même du jeune homme; c'est-à-dire que le bilan révéla clairement une certaine attitude d'orgueil chez mon ami. Il va sans dire que l'orgueil constitue un très mauvais passif pour quiconque cherche à décrocher un emploi stable et valorisant. Ainsi, tout en établissant la section des passifs du bilan de vie de mon jeune ami, nous n'avons pas tardé à découvrir, mon ami et moi, de très sérieuses lacunes dans la personnalité du jeune homme.

Par exemple, sans doute à cause de sa personnalité orgueilleuse, ce garçon éprouvait beaucoup de difficultés à accepter des ordres, voire même des conseils pratiques. Voilà un grave passif qui peut handicaper sérieusement quelqu'un qui se cherche de l'emploi permanent. Bien plus, un tel passif, s'il n'est pas redressé au plus tôt, peut même empêcher quelqu'un de goûter pleinement au bonheur conjugal. Car comment peut-il être possible à un individu qui est le moindrement orgueilleux, et qui a toutes les difficultés à accepter le moindre reproche ou conseil, de s'entendre avec les autres, qu'il s'agisse d'un conjoint, d'un employeur ou de qui que ce soit d'autre?

Enfin, une fois la colonne des passifs complétée, nous décidâmes de passer à celle des actifs, beaucoup plus encourageante celle-là. Sans qu'il en soit trop conscient, le fait d'inscrire sur du papier les divers aspects «actifs» de sa personnalité révéla à mon jeune ami qu'il était naturellement doté de certains atouts personnels et précieux qui l'avantageaient au plus haut point.

Par exemple, la section positive du bilan de mon ami révéla qu'il était doté d'une grande intelligence; qu'il avait en plus un esprit curieux et très éveillé à la fois; de plus, son goût prononcé pour l'étude constituait à lui seul un actif très précieux qui pouvait lui ouvrir toutes grandes les portes de l'acquisition d'innombrables connaissances pratiques. Enfin, entre autres aspects positifs, mon ami était doté d'un rigoureux sens de l'honnêteté, d'un coeur courageux et vaillant, sans oublier une grande franchise ainsi qu'un sens pratique à l'égard de la justice.

Après avoir enfin terminé la compilation du bilan de vie de mon jeune ami, nous passâmes donc à l'étape suivante, soit celle consistant à tirer maintenant les grandes et profondes conclusions de l'ensemble du bilan en question.

Finalement, au bout d'une heure environ, mon ami est de lui-même parvenu à la sage conclusion qu'il ferait bien d'entreprendre des études afin d'acquérir les compétences nécessaires qui lui seraient tellement utiles pour la recherche d'un emploi stable et convenable. De plus, toujours de lui-même, ce brave jeune homme décida sur-le-champ de s'appliquer sérieusement à corriger les quelques aspects négatifs et nuisibles de sa personnalité, surtout le passif «orgueil», lequel passif finirait, tôt ou tard, par l'handicaper sérieusement à un tournant ou l'autre de son existence.

Aujourd'hui, quelques dix années plus tard, mon ancien jeune ami, qui est toujours un bon ami, est marié à l'élue de son coeur. Les deux charmants époux savourent un bonheur conjugal sans cesse croissant. De plus, ils sont les heureux parents de deux charmants enfants qui, en plus d'être intelligents, reçoivent une superbe éducation. Ce brave père travaille au sein d'une entreprise connue et stable. Il est permanent dans un emploi qu'il affectionne au plus haut niveau. De plus, cet ami s'est si bien débarrassé de son ancien problème d'orgueil qu'après un certain nombre d'années de mariage, il n'y a aucun conflit conjugal et familial qu'il ne soit parvenu à résoudre avec l'aide de sa charmante épouse.

Il s'agit là d'un autre fait vécu qui ne laisse aucun

doute quant à l'importance d'établir un bilan de vie qui soit à la fois précis et le plus détaillé possible lorsqu'une situation déprimante semble se profiler à l'horizon de notre existence.

La rédaction de ces expériences vécues me rappelle un autre exemple de bilan qui fut ainsi établi en compagnie d'une jeune fille qui était tellement malheureuse à l'époque qu'elle ne parvenait plus à trouver aucune joie de vivre.

La personne en question avait un certain problème d'obésité, le tout accompagné d'un autre problème, l'acné. Elle était tellement malheureuse de son état physique qu'il lui arrivait parfois de songer sérieusement au suicide. Heureusement que cette brave personne était dotée d'un bon coeur, autrement l'état de déséquilibre émotif dans lequel elle se trouvait à l'époque l'aurait sûrement amenée à poser des gestes irréparables.

J'eus l'occasion de venir en aide à cette jeune fille à la suite d'une visite que je rendis à l'époque à ses parents. Ceux-ci, passablement ébranlés à la vue de l'état perturbé de leur chère enfant, n'ont pu s'empêcher de s'ouvrir à moi. Ne pouvant rien faire en faveur de leur fille, ces braves gens me demandèrent donc d'essayer de faire quelque chose qui pourrait redonner une certaine dose de positivisme à la jeune fille.

Quelques jours plus tard, ma femme et moi avons invité la jeune fille à la maison afin de partager un repas en notre compagnie. Après le repas, tandis que ma femme vaquait à certaines occupations, j'en profitai pour me réfugier au salon avec notre amie. La sachant un peu timide de nature, j'ai donc entamé la conversation en lui déclarant que j'aimerais sincèrement faire quelque chose pour elle.

Cette jeune personne, tout comme ses parents d'ailleurs, avait une grande confiance en moi. Étant tout à fait convaincue que mon intention était sincèrement de lui venir en aide, elle trouva enfin assez de courage pour me mentionner jusqu'à quel point elle pouvait être malheureuse de la vie, de «sa» vie.

La glace étant désormais rompue, je m'empressai donc d'aller chercher une feuille de papier ainsi qu'un crayon. Ensuite, je lui expliquai que si elle le voulait bien, nous allions, tous les deux, procéder à l'établissement d'un bilan précis et détaillé de sa vie personnelle. Bien que ne comprenant pas trop ce qui allait se passer, elle s'empressa quand même d'accepter de jouer ce jeu qui était tout à fait nouveau pour elle.

Comme je l'avais déjà fait de nombreuses fois avec toutes sortes de personnes, je procédai de la même façon avec cette jeune fille malheureuse. Remettant le papier et le crayon à la jeune fille, je lui demandai de tracer une ligne verticale en plein centre de la feuille de papier. Ensuite, je lui demandai d'inscrire en grosses lettres les mots PASSIF et ACTIF au haut de la feuille, le mot passif à gauche et le mot actif à droite.

Ensuite, avec beaucoup d'attention de ma part, surveillant le moindre de mes mots, je parvins à amener ma jeune amie à inscrire sur le côté gauche de la feuille une bonne partie des problèmes négatifs qui germaient dans son jeune coeur triste et malheureux. Plutôt que de les laisser moisir au fond de son coeur, une bonne part de ses tourments se trouvaient maintenant devant ses yeux, rédigés en noir sur blanc, ce qui lui permettrait de mieux les analyser et ainsi de mieux les contrôler.

Mais ce qui fut plus difficile, ce fut de l'amener à inscrire les aspects positifs, ou ce qui constituait l'ACTIF de sa personne. Voyez-vous, toute l'attention consciente de cette brave jeune fille était constamment, voire exclusivement concentrée sur les désavantages physiques de son être; ce qui, bien entendu, l'empêchait de prendre conscience des nombreux autres avantages de sa personne. Toute son attention était comme qui dirait «bloquée» sur son poids, son acné, sa «laideur» comme elle disait, en somme sur le fait que, selon elle, elle n'était pas autre chose qu'une grosse et laide jeune fille.

Parmi les êtres que cette pauvre jeune personne avait le malheur de côtoyer, il ne manquait pas de s'en trouver des lamentables qui ne se gênaient nullement pour lui faire bien sentir qu'elle était grosse et laide. On peut facilement imaginer, dans un tel contexte, comment il pouvait être difficile pour cette malheureuse enfant de trouver des aspects positifs et avantageux à sa personne.

54

Cependant, avec beaucoup de patience, je parvins enfin à lui faire admettre et surtout à accepter le fait qu'il se trouvait bien, quelque part au fond de son être, un certain nombre d'atouts positifs et désirables de sa jeune personne. Finalement, à travers un sourire timide, ma jeune amie parvint à inscrire le mot «honnête» dans la colonne des actifs. Ensuite, les mots «studieuse» et «chaleureuse» vinrent s'ajouter à ce début de liste. Enfin, après plusieurs longues minutes de patience, d'autres atouts précieux et tout à fait insoupçonnés par ma jeune amie vinrent encore grossir la liste de l'actif personnel de cette brave jeune fille.

Sans en être consciente, la jeune fille qui se trouvait devant moi était dotée d'atouts aussi précieux que la propreté, la bonté, la franchise, la fidélité aux engagements, le sens des responsabilités, le respect des autres, la patience, la douceur, la longanimité, le tact, l'amabilité, et une foule d'autres précieux atouts du genre. Des atouts fantastiques que cette jeune fille ne pensait jamais posséder.

Après la rédaction du bilan de vie de ma jeune amie, nous avons décidé de faire une pause afin de déguster la délicieuse collation que ma femme venait de nous apporter. Nous nous sommes remis au travail une quinzaine de minutes plus tard avec l'intention bien arrêtée de décortiquer tout l'aspect positif du bilan de vie de la brave enfant.

Ici, je tiens à souligner le fait que notre jeune amie était beaucoup plus détendue qu'au début de l'établissement du bilan de sa vie. Le fait d'avoir participé, et surtout d'être parvenue à rédiger sur du papier, noir sur blanc, ses passifs et ses actifs, c'est-à-dire ses handicaps et ses atouts, a certainement eu pour effet de la rassurer et de la rendre beaucoup plus calme.

Une autre heure plus tard, la jeune fille était d'elle-même parvenue à la conclusion qu'elle n'avait absolument aucune raison valable de se rendre autant malheureuse avec l'existence. Bien sûr, elle était réaliste et comprenait que, comme tout le monde d'ailleurs, elle était elle aussi handicapée par certains aspects négatifs à propos de sa personne physique. Cependant, et voilà la clef magique qui lui permettrait dorénavant d'ouvrir toutes grandes les portes de son propre bonheur de vivre, elle était enfin parvenue à bien comprendre qu'elle était aussi dotée, comme en contrepartie, d'innombrables atouts insoupçonnés et fantastiques. Plus elle relisait le bilan des atouts qui se trouvaient inscrits dans la colonne des actifs de son bilan de vie, plus elle prenait conscience des innombrables nouvelles possibilités de bonheur qui se dessinaient devant ses yeux.

Aujourd'hui, plusieurs années plus tard, notre ancienne jeune amie est devenue une brave et excellente épouse et mère. Elle a épousé un homme gentil et honnête travailleur qui ne cesse de lui témoigner son amour à travers d'innombrables marques d'estime et d'affection. Ce couple charmant habite une banlieue agréable et est entouré d'amis excellents à travers lesquels ils sont à même de s'épanouir et ainsi permettre à leur bonheur de vivre de croître à un rythme tout à fait encourageant.

Bien sûr, cette brave femme a toujours des difficultés à contrôler son poids. Son acné lui cause aussi certains problèmes avec sa peau. Cependant, elle comprend sans peine qu'elle n'a nullement besoin d'être un squelette pour être heureuse, et que le bonheur de vivre heureux avec soi-même et celui de rendre les autres heureux ne dépend absolument pas de la balance ni de la peau du visage. Notre brave et charmante amie comprend très bien que le bonheur de vivre est strictement une affaire de coeur, de courage et de confiance, de beaucoup de foi surtout.

Les quelques exemples vécus qui sont mentionnés dans ce chapitre ont pour but de nous amener à réaliser toute l'importance qu'il y a à bien établir un bilan précis et soigneusement détaillé de sa propre vie à chaque fois que le besoin se fait sentir. Dans les affaires de la vie, il convient de procéder exactement comme dans les affaires d'argent ou commerciales, c'est-à-dire établir un bilan précis et détaillé qui indique dans quel état AUTHENTIQUE se situe notre être, dans son entier. Rédiger un bilan qui ne fait pas qu'indiquer l'état de l'aspect physique de notre personne, mais quel est aussi l'état de notre esprit, de notre coeur, nos sentiments, notre spiritualité, en somme de toute notre personne dans son entier.

Il y a quelques années, j'ai lu dans un journal le récit d'un homme qui s'est suicidé le jour même où les médecins à l'hôpital lui ont révélé qu'il avait une grosse tumeur au cerveau. Découragé au plus haut point en apprenant la triste nouvelle, le malheureux choisit de mettre un terme à son existence au lieu d'envisager les choses à la manière d'un comptable avisé, c'est-à-dire établir un bilan précis et détaillé de TOUTE sa situation de vie présente; pas seulement la situation physique dans laquelle il se trouvait, mais toutes les autres situations de sa personne. En procédant ainsi, ce malheureux individu aurait peut-être été à même de découvrir jusqu'à quel point les autres facettes de son être lui seraient venues en aide afin de lui permettre d'affronter, puis de traverser cette épreuve sans trop subir de dommages.

L'année dernière, je fus moi-même confronté à une situation identique à celle mentionnée précédemment. Suite à plusieurs interventions chirurgicales effectuées en l'espace de moins d'un an, les médecins découvrirent que j'avais une tumeur au cerveau. Bien sûr, le fait d'apprendre une telle nouvelle pourrait avoir de quoi ébranler l'individu doté des nerfs les plus solides. Cependant, plutôt que de me laisser aller au découragement, ce qui est toujours désastreux dans une telle situation, j'ai pris la ferme décision d'établir mon propre bilan de vie. Et, le soir même, j'étais assis à mon bureau en train de dresser un bilan précis et détaillé de la situation avec laquelle j'étais confronté.

Voici à quelles conclusions m'amena le résumé de mon bilan. D'abord, j'étais très heureux de réaliser que les médecins semblaient avoir enfin trouvé la source de mes nombreux maux physiques. Ensuite, ayant été tout à fait rassuré par un excellent médecin qui m'orienta vers un grand hôpital de Montréal, je n'avais donc absolument aucune raison valable de me faire du souci de ce côté.

Bien sûr, il y avait toujours le risque que cette tumeur au cerveau soit maligne. Mais là encore, je parvins assez aisément à maîtriser mes émotions, car étant au courant du fait que moins de cinq pour cent des tumeurs s'avèrent malignes. Donc, je n'avais pas de raison majeure de m'en faire avec cette autre question.

Enfin, il y avait toujours le risque de mourir durant l'opération. Mais, là encore, les chances de survie me semblaient relativement bonnes étant donné que le chirurgien qui allait m'opérer à l'hôpital Notre-Dame, le docteur Jules Hardy, avait déjà pratiqué plus de mille interventions du genre au cours de sa longue et laborieuse carrière, ceci sans aucun incident tragique de sa part. Un autre domaine où je n'avais aucune raison de me faire du souci.

Finalement, le pire qui aurait pu m'arriver avec toute cette affaire de tumeur au cerveau, aurait été de mourir dans un accident d'automobile en me rendant à l'hôpital à Montréal. Mais, là encore, je ne me faisais pas de souci. Ma foi dans l'espérance de la résurrection étant relativement stable et raisonnablement fondée, ce problème ne m'empêchait donc pas de dormir.

Aujourd'hui, près d'un an après avoir subi une opération au cerveau, je dois admettre franchement qu'en aucun moment, je n'ai ressenti les affres du découragement s'emparer de moi. En aucun moment je n'ai senti mon courage faire défaut. Je suis tout à fait persuadé que la malheureuse situation avec laquelle j'étais confronté ne se serait pas déroulée de façon aussi positive si je n'avais pas pris le soin d'établir un bilan précis, détaillé et complet du problème dans son entier.

Je suis absolument persuadé qu'aucun malheur de l'existence ne peut être considéré comme insupportable lorsqu'on prend le soin de s'asseoir calmement puis de dresser un bilan complet, précis et détaillé de tous les aspects de la situation avec laquelle nous pouvons être momentanément confronté.

Si des entreprises commerciales, confrontées à l'imminence d'une faillite, ont pu s'en sortir grâce à l'établissement d'un bilan précis de leurs situations financières du moment, alors pour quelle raison en serait-il autrement avec les affaires qui concernent notre propre existence personnelle? En conclusion, il convient de mentionner qu'un bilan de vie constitue, à n'en pas douter, le miroir par excellence ainsi que le reflet précis et tout à fait détaillé de tout l'être fantastique et merveilleux qui sommeille parfois à l'intérieur de chacun de nous.

Chapitre 4

Les trois besoins fondamentaux de l'humain

Il y a un peu plus d'un siècle naissait notre société de consommation. À cette époque, une nouvelle génération d'industriels s'organisait afin de mettre en branle la production d'une foule de commodités qui devaient ouvrir la porte à une ère de prospérité et de bonheur sans précédent pour toute la société humaine.

Les défis à réaliser étaient énormes, mais ils furent tous atteints les uns après les autres. Après la découverte du pétrole, ce fut l'automobile; ensuite l'électricité est venue agrémenter nos vies. Enfin, avec l'arrivée de la télévision, toute une gamme de nouveaux gadgets électroniques sont entrés dans nos foyers, allant du four à micro-ondes jusqu'à l'appareil vidéo le plus perfectionné. Il ne faudrait pas non plus oublier l'ordinateur qui, plus que toutes les autres productions modernes, semble bien être en train de bouleverser le mode de vie de la communauté toute entière des humains de notre temps.

Maintenant, après plus d'un siècle de prospérité inouïe, sommes-nous en mesure d'affirmer que la société humaine d'aujourd'hui soit vraiment plus heureuse que celles dans lesquelles vivaient nos ancêtres? Bien que nous ayions tout ce dont nous avons envie, pouvons-nous réellement prétendre avoir évolué et atteint un nouveau sommet en ce qui a trait à l'art de vivre heureux, avec soi-même d'abord et avec les autres ensuite?

Bien sûr, notre société de consommation a produit une foule d'articles qui ne sont pas seulement agréables, mais qui sont souvent utiles à chacun de nous. Par exemple, il serait insensé de prétendre que l'électricité ne soit pas une des choses les plus utiles qui soient pour la communauté des humains. Il en est de même pour l'automobile. L'auto constitue un excellent moyen de transport qui nous rend des services inestimables. Il y a ainsi une foule de produits modernes que nous pourrions qualifier d'utiles à cause justement des innombrables services qu'ils nous rendent.

Alors, où se situe donc le problème? Si l'industrie moderne a produit de nombreux articles qui nous sont incontestablement utiles, alors comment se fait-il qu'il y ait autant de problèmes humains à notre époque? Si nos existences sont agrémentées d'articles tous plus utiles les uns que les autres, alors d'où vient le fait qu'il y ait tant de foyers brisés, de divorces, de gens qui se droguent et se suicident, de décadence morale, de violence, d'injustices et de misères humaines de toutes sortes, et combien d'autres choses négatives encore?

L'une des raisons de tous les problèmes humains qui touchent l'individu moderne ne provient pas du fait de l'utilité de l'électricité ou de l'automobile, mais plutôt de l'état d'esprit des humains à l'égard des biens de consommation.

La plupart des individus ressemblent à un petit chien qui court constamment après sa queue. Il court sans s'arrêter avec l'espoir de pouvoir attraper sa queue, alors qu'il ne comprend pas qu'il court en vain. Ainsi, plus il court vite, plus sa queue avance vite elle aussi; il ne peut donc jamais parvenir à la rejoindre. Ainsi en est-il avec pas mal de gens de notre temps. Nous courons à un rythme effréné pour nous procurer le plus d'utilités matérielles possibles, et, sans comprendre au juste ce qui se passe, nous ne parvenons jamais à atteindre le sommet de la satisfaction personnelle, ou du contentement.

Ainsi, nous travaillons dur et économisons pour acheter le dernier modèle d'auto, et, une fois que ladite auto est enfin en notre possession, nous constatons avec effroi que d'autres modèles, encore meilleurs et plus luxueux que celui que nous venons à peine d'acquérir, nous seraient bien plus profitables.

Il en est de même pour les maisons. Les constructeurs d'habitations nous proposent les derniers cris en fait de maisons et ne savent plus quelles tactiques publicitaires inventer pour nous tenter. Mais une fois en possession de la maison de nos rêves, et soigneu-sement endettés pour le prochain quart de siècle, nous constatons que d'autres modèles de maisons, plus jolies et plus pratiques que la nôtre, font surface sur le marché.

Le domaine de l'ameublement n'échappe pas lui non plus aux techniques les plus perfectionnées et sournoises du monde subtil de la consommation. Les marchands de meubles et d'appareils électriques offrent au public consommateur les toutes dernières nouveautés en produits de tous genres. Des consom-mateurs travaillent dur et économisent durant de longs mois afin de pouvoir se procurer ces nouveautés. Mais une fois les meubles et les appareils achetés, ils ne sont pas aussitôt payés qu'une nouvelle gamme de produits fait son apparition sur le marché. Alors, déçus de leurs «vieilleries», et fortement tentés par une publi-cité adroitement conçue, ces mêmes consommateurs se précipitent chez les marchands afin de se procurer les derniers modèles fantastiques, lesquels, bien entendu, seront vite remplacés par d'autres généra-tions d'articles encore plus fantastiques dans quelques mois à peine.

Mais cette folle soif de consommation qui balaie notre humanité moderne ne se limite pas qu'aux objets matériels. Elle prévaut aussi dans tous les autres domaines de l'activité humaine. Par exemple, des maris viennent à peine de jurer amour et fidélité à leur épouse que déjà ils envisagent de s'en défaire afin d'être de nouveau libres d'aller butiner, ou «consommer» d'autres nouveautés. Des parents viennent à peine de donner le jour à un enfant que déjà, ils se plaignent et réalisent qu'ils préféreraient être libres. Voilà jusqu'où la soif de consommation a pu conduire la race humaine: au profond mécontentement à propos de tout.

Ainsi, face à toute cette abondance de biens de consommation, nous ressemblons bel et bien à ce tout petit chien qui, ne comprenant pas ce qui se passe en lui, n'en finit pas de courir en rond après sa queue avec l'espoir impossible de parvenir à l'attraper.

Dans une telle société de consommation, comment serait-il possible de satisfaire tout le monde? Comment peut-on vivre heureux, dans le contentement et la satisfaction, au sein d'un tel contexte de consommation insatiable et incontrôlable? Est-il raisonnablement possible de vivre sainement, calmement, modérément, agréablement, content, satisfait et heureux dans un tel contexte de consommation effrénée qui, en fin de compte, ne mène absolument nulle part ailleurs qu'au mécontement et à la frustration? Oui, c'est possible, mais à la stricte condition d'apprendre à bien comprendre quels sont nos véritables besoins humains fondamentaux.

Des dizaines de générations d'êtres humains ont vécu sans même avoir pu imaginer ce qu'étaient l'électricité, les automobiles, les avions, les téléviseurs, le téléphone, les fours à micro-ondes, les ordinateurs, les voyages de plaisir, la fornication et les échanges de toutes sortes, etc. Pouvons-nous affirmer que ces milliards d'êtres humains, qui ont vécu à un moment ou l'autre de l'histoire, aient été vraiment malheureux du fait de vivre sans avoir pu profiter et jouir de tous les gadgets que nous possédons à notre époque?

S'il est difficile de mesurer le degré de bonheur de vivre qu'aient pu connaître nos ancêtres qui étaient privés de la plupart de nos commodités modernes, n'empêche que cette privation forcée ne les a certainement pas empêchés de vivre, de travailler, de découvrir, de chercher, d'inventer, de créer, ni de se divertir. En effet, l'histoire nous parle abondamment d'aventuriers, d'inventeurs, de découvreurs, et même de grands musiciens. Ces faits historiques attestent donc du fait que, bien que privés matériellement, nos ancêtres disposaient de telles doses de courage de vivre qu'ils pouvaient s'adonner au travail rigoureux, à la découverte, à l'aventure, à la musique et au divertissement, tout ça dans un contexte de vécu quotidien tout simplement primitif.

Le bonheur de vivre naît du contentement et de la satisfaction qu'on ressent du fait d'évoluer à travers l'état actuel de vie dans lequel l'on se trouve.

J'ai connu des gens ordinaires, manquant de luxe, qui savaient profiter abondamment d'un bonheur de vivre indescriptible. Par contre, j'ai connu d'autres personnes qui, bien qu'avantagées matériellement, n'en végétaient pas moins dans une misère morale et dont le foyer ressemblait plus à un champ de combat qu'à une oasis de paix et de bonheur.

Ce que le petit écran nous montre dans le cadre de la série télévisée intitulée «Dallas» se vérifie avec beaucoup de réalisme dans bien des foyers où règne l'abondance. En fait, que nous montre-t-on dans cette populaire série télévisée? Des individus et des familles riches à craquer qui n'en finissent pas de se déchirer, de combiner des plans conduisant à l'infidélité conjugale des uns et à la ruine financière des autres. Au fait, si vous avez pris le soin de bien observer les visages des habiles acteurs de cette populaire série, qu'avez-vous pu remarquer? Des visages épanouis par le bonheur et la joie évidente de vivre, ou plutôt des visages défaits par la cupidité, la duperie, la haine, la vengeance, la corruption et l'avidité?

Bien sûr, il ne faudrait pas aller à l'autre extrême et penser que le seul fait d'être démuni de tout, même des nécessités élémentaires de l'existence, aurait de quoi contribuer à notre bonheur de vivre. Les peuples opprimés par la dictature et l'injustice, qui vivent dans l'extrême pauvreté, constituent des témoignages vivants attestant du fait que le bonheur légitime de vivre ne se situe pas non plus à cette autre extrême des valeurs.

Le bonheur de vivre ne se trouve donc pas dans l'une ou l'autre des deux extrêmes mentionnées plus haut, c'est-à-dire qu'il n'habite pas dans l'abondance frisant la cupidité ni dans la pauvreté qui côtoie la privation. Non, c'est en cherchant notre équilibre de vivre à peu près au milieu de ces deux extrêmes qu'il nous est alors possible de goûter l'harmonie de vie qui, enfin, nous ouvre toute grande la porte de l'authentique bonheur de vivre.

Nous voici maintenant arrivés au coeur de notre sujet. Pour pouvoir parvenir au bonheur de vivre, et être enfin à même de pouvoir évoluer sainement, mentalement, moralement, affectivement et spirituellement, au sein d'une ambiance saine et équilibrée, nous devons absolument comprendre clairement quels sont les véritables besoins innés fondamentaux de l'humain que l'on est.

Dépasser le stade de nos besoins fondamentaux peut très bien nous entraîner sur la voie glissante de la cupidité; ce qui, bien souvent, risquerait de nous conduire directement au mode de vie enchâssé dans le cadre de la populaire série «Dallas». Par contre, le fait de ne pas pouvoir atteindre, ou satisfaire raisonnablement nos besoins humains fondamentaux innés pourrait nous être tout aussi fatal. Car telles privations auraient le don de nous catapulter à l'autre extrême, c'est-à-dire celle des misères et des frustrations de toutes sortes. Donc, ce qu'il convient de rechercher, c'est l'équilibre entre les deux extrêmes, ou, comme déjà mentionné, parvenir à satisfaire sainement et raisonnablement nos besoins humains fondamentaux et vitaux.

Les besoins innés fondamentaux de l'être humain pourraient se résumer au nombre de trois. Il y a d'abord le double besoin absolu qui consiste à aimer et être aimé. Vient ensuite le besoin de pouvoir combler quotidiennement nos divers besoins corporels, matériels ou physiques, tels la nourriture, le vêtement et le logement. Enfin, en guise de troisième besoin humain fondamental, il y a celui qui nous incite fortement à vouloir goûter à une vie conjugale et familiale qui soit à la fois heureuse et satisfaisante. Voilà, en résumé, quels sont les trois besoins fondamentaux et innés à chacun des êtres faisant partie de la race humaine.

Bien entendu, il y a de nombreux autres besoins humains qui se doivent d'être comblés, ou satisfaits chez l'être humain. Il y a, par exemple, le besoin de créer des choses, celui de rire, de chanter, parfois même de pleurer; il y a aussi le besoin de parler, voyager, ainsi qu'une foule d'autres besoins du genre. Mais tous ces besoins entrent plus dans la catégorie des besoins secondaires que fondamentaux de l'être humain. On peut très bien se passer de pleurer ou de chanter, mais personne ne peut se passer d'amour, de nourriture ni de la sécurisation d'un contexte conjugal et familial qui soit à la fois sain, harmonieux et générateur de joie de vivre et de bonheur.

Il y a aussi le besoin de spiritualité. Concernant ce besoin, il serait exact de mentionner qu'il est bien plus vital que fondamental, étant donné que c'est seulement en passant par le canal de la spiritualité authentique que l'être humain peut se relier à son Auteur et ainsi accéder à la divine connaissance pouvant déboucher à la vie éternelle. L'être humain, donc, qui aspire à la Vérité et à l'éternité se doit absolument d'accéder à Dieu, ce qui n'est réalisable qu'en comblant parfaitement tous ses besoins spirituels. Il va sans dire que ce dernier, le besoin spirituel, est de beaucoup supérieur aux trois besoins humains fondamentaux qui font l'objet de notre sujet. Mais étant donné le fait que ce livre n'a pas de grande prétention spirituelle, je préfère laisser à des autorités plus compétentes le soin de traiter à fond et adéquatement tout l'aspect spirituel du besoin vital de l'humain aspirant à la vérité et à l'éternité, donc à Dieu même.

Si le besoin fondamental d'aimer et d'être aimé est cité en tout premier rang parmi les trois besoins fondamentaux de l'humain, la raison est qu'effectivement, un être humain a beau posséder toutes les richesses du monde, tel être n'est pas grand chose s'il ne parvient pas à aimer et à être aimé. Bien plus, l'être humain qui ne peut pas accéder à ce double amour, aimer et être aimé, a pratiquement perdu toute sa raison de vivre.

Il y a quelques années, un milliardaire bien connu a publié le récit de sa vie. À un certain moment, vers la fin de son récit, ce magnat de la réussite matérielle a mentionné que toutes ses richesses matérielles ne valaient pas grand chose en comparaison d'avoir quelqu'un à aimer, et de recevoir en retour toute l'affection sincère de cet être aimé.

De même, une personne a bien beau plaire à tout

le monde, ou a beau aimer toute l'humanité, telle personne ne sera guère satisfaite de ses conditions de vie personnelles si elle est incapable de parvenir à satisfaire raisonnablement ses besoins quotidiens de nourriture, de logement et de vêtement. Étant être humain, fait de chair, d'os et de sang, il serait irréaliste de chercher à vivre heureux sans se soucier nullement de satisfaire nos besoins matériels ou physiques fondamentaux. Dans notre contexte humain, donc créature physique et terrestre, combler adéquatement nos besoins physiques constitue une étape essentielle à franchir si l'on veut accéder au véritable bonheur de vivre une existence humaine.

Nous venons au monde au sein d'un foyer organisé, nous y grandissons et y croissons jusqu'au jour où un puissant désir nous envahit, soit celui de bâtir ou d'ériger notre propre cellule conjugale et familiale. En somme, on peut dire que toute notre existence humaine évolue à l'intérieur d'un encadrement familial. Si les choses sont ainsi faites, c'est certainement à cause de ce double puissant instinct conjugal-familial qui est fortement ancré au plus profond de notre être. Ce puissant désir qui nous attire irrésistiblement vers la construction d'une cellule familiale qui nous soit propre et exclusive constitue donc, chez l'être humain, le troisième grand besoin humain fondamental qui se doit d'être satisfait si nous voulons devenir à même de goûter pleinement au véritable et complet bonheur de vivre.

Bien comprendre nos trois besoins innés fondamentaux, c'est du même coup nous mettre à l'abri de beaucoup de frustrations. Une fois qu'on a bien compris qu'en dehors de ces trois besoins humains fondamentaux, à peu près tout le reste est secondaire, sauf bien sûr notre besoin vital de spiritualité, on a beaucoup plus de facilité à atteindre le contentement, la satisfaciton, et, enfin, le bonheur authentique de vivre pleinement et raisonnablement notre existence d'être humain. Car, ne l'oublions pas, le bonheur de vivre naît du contentement et de la satisfaction que l'on ressent du fait d'évoluer, ou de vivre à travers notre état actuel. Et notre état actuel de vie sera satisfaisant et heureux dans la mesure ou nos trois besoins fondamentaux seront raisonnablement satisfaits.

Chercher à tout prix à évoluer en dehors de cette zone de sécurité que celle qui est clairement délimitée par nos trois besoins fondamentaux, c'est courir le risque d'aller à la catastrophe. De nos jours, nous avons devant les yeux de nombreux exemples qui nous montrent clairement quelles conséquences désastreuses risquent de nous écraser si jamais l'envie nous prenait de chercher à évoluer en dehors du cadre des limites raisonnables qui sont harmonieusement assignées à tous les individus faisant partie de la nature humaine.

Mais l'être humain qui s'applique à évoluer quotidiennement à l'intérieur des limites raisonnables, équilibrées et harmonieuses de nos trois besoins humains fondamentaux ne manque sûrement pas d'atteindre le contentement, ni non plus d'accéder à la totale satis-

faction. Enfin, une fois qu'on accède à ladite satis-
faction, il ne reste plus alors qu'à cueillir et à déguster agréablement cet heureux et magnifique fruit qui
a pour nom délicieux: BONHEUR DE VIVRE!

Chapitre 5

Comment se faire apprécier et aimer

Un jour, après la tenue d'une réunion à laquelle j'avais assisté, j'aperçus une jeune fille âgée d'une quinzaine d'années qui, seule dans un coin solitaire de la grande salle, pleurait. M'approchant de la jeune personne, je la saluai et lui offrit gentiment mon aide. Entre deux sanglots de la jeune malheureuse, j'en profitai pour lui demander pour quelle raison elle pleurait. Après être quelque peu revenue à elle, elle ouvrit les yeux et, tout en me fixant du regard, me mentionna qu'elle était malheureuse au point d'en être arrivée à penser qu'il n'y avait rien de beau dans la vie.

Après avoir invité la malheureuse à s'asseoir, nous nous sommes donc installés confortablement dans deux chaises, et, au bout d'un bref moment de silence, je lui demandai sur quel argument précis elle se basait pour affirmer ainsi son malheur de vivre. Baissant les yeux, et recommençant à pleurer de nouveau, elle me répondit énergiquement par ces mots: «Je suis malheureuse de vivre parce que personne ne m'aime, ni ne s'intéresse à moi!» Ensuite, elle m'expliqua en détail quelques faits précis qui, à ses yeux de jeune fille, semblaient bien confirmer cette affirmation à propos du fait que personne ne l'aimait.

Gardant le silence durant quelques minutes, afin de permettre à la jeune fille de pouvoir reprendre son calme, je lui posai la question suivante: «Et toi, est-ce que tu aimes sincèrement les gens qui t'entourent?» Je n'ajoutai rien d'autre, ceci afin de laisser le temps à ma question précise de faire son effet dans l'esprit et le coeur de la jeune personne.

À ma question, elle baissa les yeux, moucha son nez, ce qui me donna la conviction que ma question était en train de toucher une corde sensible à l'intérieur de la jeune fille. N'obtenant pas de réponse, je réitérai ma question, mais en ajoutant cette fois-ci quelques précisions supplémentaires: «Je t'en prie, dis-moi sincèrement la vérité; aimes-tu vraiment les gens qui vivent à tes côtés? Et si tu les aimes, que fais-tu de concret afin de les persuader que tu les aimes de tout ton coeur?»

J'attendis silencieusement quelques trois ou quatre minutes. Enfin, d'un air très sérieux, elle releva la tête, me fixa du regard, et, courageusement, m'avoua franchement qu'elle n'aimait guère personne d'autre sinon elle-même. Suite à cet aveu très franc de la jeune personne, j'ajoutai: «Si tu le veux bien, nous allons voir ensemble ce que tu pourrais faire de positif dans le but précis de convaincre tous les êtres de ton entourage que tu les aimes sincèrement d'un amour authentique.»

Une trentaine de minutes plus tard, nous avions passé en revue, ma jeune amie et moi, un bref éventail d'actions précises qu'elle pourrait poser à l'égard des autres afin de les persuader qu'elle les aime vraiment. Enfin, nous donnant la main, nous nous sommes quittés dans une sorte de sourire de complicité.

Six mois plus tard, je rencontrai la jeune fille en question. Je n'en croyais pas mes yeux de constater jusqu'à quel point elle pouvait être changée. Elle était radieuse et son visage resplendissait de joie et de positivisme. Quelle grande différence avec le visage triste et défait par la tristesse et le négativisme que j'avais eu devant mes yeux quelques six mois auparavant.

Après lui avoir demandé comment les choses se passaient à présent, ma jeune amie, arborant un large sourire positif et sincère, me mentionna qu'elle vivait comme dans un paradis intérieur et de paix. À ses yeux, la vie était tout simplement formidable. Elle insista surtout pour me dire que tout le monde l'aimait bien, ce qui la rendait énormément heureuse. «D'ailleurs, ajouta-t-elle, les gens n'ont pas le choix; ils sont forcés de m'aimer. Oui, mentionna-t-elle, je les oblige à m'aimer parce que moi, je leur démontre jusqu'à quel point je les aime d'un amour sincère. Je sème l'amour tout autour de moi, et la récolte est tout simplement miraculeuse!» Quel témoignage positif et fantastique de la part d'une jeune personne qui, il y a à peine six mois, songeait presque d'en finir avec la vie!

Un jour, mon épouse et moi avons rendu visite à une femme d'âge mûr qui vivait seule dans un joli appartement. Dès notre entrée dans sa demeure, cette femme s'est mise subitement à pleurer. Une dizaine de minutes plus tard, ma femme étant enfin parvenue à consoler quelque peu la malheureuse, je décidai de lui poser cette question précise: «Dis-nous, pour quelle raison te sens-tu autant malheureuse?» Après un certain moment de silence, notre amie ouvrit la bouche et balbutia: «Je suis malheureuse parce que personne ne semble m'aimer. J'ai la nette impression, ajouta-t-elle, que les gens m'évitent et me fuient.»

Après avoir laissé à notre malheureuse amie le temps de bien sécher ses yeux, j'ouvris la bouche et, la fixant droit dans les yeux, lui posai cette autre question tout aussi précise: «Et toi, comment fais-tu pour convaincre les gens que tu les aimes vraiment?» Un silence quasi religieux tomba dans la pièce dans laquelle nous nous trouvions.

Au moins dix longues minutes de silence passèrent avant qu'elle n'ouvre enfin la bouche pour nous avouer franchement: «Honnêtement, dit-elle, je dois admettre que je ne fais pas grand chose pour les autres. Je ne les appelle jamais. Je ne fais aucun effort pour aller visiter les autres. Et à chaque fois que quelqu'un a le coeur et la bonté de venir me rendre visite, je passe mon temps à me plaindre et à me lamenter à propos de tout et de rien, que ce soit de mes problèmes, de la misère dans le monde, ou de la vie en général. Je ne prends jamais le temps d'écouter sincèrement les autres. Oui, franchement, je ne suis qu'une égoïste. J'exige tout des autres, mais je ne suis absolument pas disposée à faire quoi que ce soit pour eux.» Quel courage, n'est-ce pas!

Je n'ai pas eu besoin d'ajouter quoi que ce soit d'autre. Notre amie était une personne très intelligente qui n'était repliée que vers elle-même et sa petite vie de tous les jours. Les deux questions précises que je lui avais posées avaient enfin touché la corde sensible dans son intérieur. C'est elle-même qui trouva le germe de la solution à son problème de solitude à travers ses propres propos francs et précis. Elle avait enfin clairement compris le message suivant qui provenait de sa propre bouche et qui avait été stimulé par quelques questions précises: «Si tu tiens absolument à ce que les autres t'aiment et t'apprécient, alors tu te dois de les convaincre d'abord que tu mérites d'être appréciée et aimée!»

Environ trois mois plus tard, le téléphone sonna chez nous. A l'autre bout du fil, c'était notre ex-malheureuse amie qui prenait la peine de nous appeler afin d'avoir de nos nouvelles. Bien plus, elle ajouta même que si jamais nous avions besoin de quoi que ce soit, elle serait bien contente de pouvoir nous rendre service. Tout au long de la conversation, elle ne parla ni d'elle, ni de son arthrite, ni de la misère dans le monde, ni de tous ces méchants qui «méritent» d'être tous détruits, ni de rien d'autre qui soit négatif ou démoralisant. À la fin de la conversation téléphonique, elle prononça un «Bonjour» chaleureux et sincère tout en nous mentionnant de prendre bien soin de nous.

En somme, notre amie était désormais heureuse de vivre, non parce qu'elle avait gagné une certaine somme d'argent à la loterie, ni à cause du fait qu'elle venait de découvrir une certaine fontaine de jouvence, mais uniquement à cause du fait qu'elle était parvenue, d'elle-même, à changer tout à fait son attitude à l'égard de ses semblables. Dorénavant, au lieu d'exiger des autres qu'ils écoutent ses jérémiades négatives et démoralisantes, c'est elle qui se mettait à l'écoute et au service de son entourage. Plutôt que d'exiger des autres qu'ils se mettent à son service, c'est elle qui, désormais, se plaçait à leur niveau pour les écouter, les réconforter, les encourager, les stimuler, les secourir, les édifier, en somme pour les servir.

Suite à son changement d'attitude à l'égard des autres, tout le reste se déroulait comme par enchantement. Une fois parvenue à aimer vraiment les autres, elle n'avait plus aucune difficulté à se faire d'abord accepter de tels autres, de s'en faire apprécier, puis finalement de se faire aimer par tous ceux et celles qui avaient désormais le grand bonheur d'entrer en contact avec elle.

Maintenant que cette brave et charmante amie avait

atteint l'un de ses grands objectifs dans l'existence, soit celui consistant à aimer et être aimée des autres, que pouvait-elle bien demander de plus à la vie? Son premier grand besoin fondamental inné étant tout à fait satisfait, elle n'avait plus maintenant qu'à savourer ce délicieux bonheur de vivre qui lui était désormais accessible.

L'être humain ayant été créé par un Être fait essentiellement d'amour, de bonté, de compassion, de générosité, de compréhension, de miséricorde, d'affection, de pardon, il ne serait pas logique de penser que, fondamentalement, nous soyons différents de cet Auteur d'amour qui, un beau jour, décida de créer l'humain. Faits à l'image et à la ressemblance même de notre Créateur, c'est uniquement en adoptant son comportement à l'égard des autres, et de la vie en général, qu'il nous sera alors possible de pouvoir enfin savourer pleinement l'authentique bonheur de vivre.

Il est donc tout à fait logique que notre premier grand besoin humain fondamental ait un rapport étroit entre le fait d'aimer et d'être aimé, puisque nous sommes le produit direct de Celui qui, de tout son être, est constitué de toutes les qualités fantastiques qui ont pour fondement l'amour authentique et tout à fait désintéressé.

Mais en ce qui concerne l'amour, soit le besoin d'être aimé et d'aimer, il est très important de bien comprendre que les affaires de l'amour sont en tous points comparables à celles de la végétation. Sans semences, il ne peut y avoir de croissance, ni récolte de fruits. Le prodigieux principe qui est à la base de toute végétation, et qui atteste qu'on ne peut espérer récolter rien d'autre que ce que l'on a d'abord semé, s'applique aussi à tout ce qui est appelé à croître, à grandir et à porter du fruit dans la vie. Qu'il s'agisse de récoltes de pommes de terre ou d'amour, le principe fondamental à la base de toute croissance est absolument immuable: On ne peut espérer récolter que ce que l'on a d'abord semé.

Le cultivateur qui, le printemps venu, a pris le soin de labourer et d'ensemencer ses champs ne doit pas craindre de ne pas pouvoir recevoir de récoltes une fois l'automne venu. De même, l'être humain qui, de tous bords et tous côtés, passe son temps à semer toutes sortes de petites semences d'amour, d'actes de bonté, d'affection, de tendresse, de miséricorde et de compréhension, cet être aussi n'a aucune raison valable de craindre de ne pas pouvoir recevoir de récoltes dans l'un ou l'autre de ces prodigieux fruits du bonheur une fois la saison appropriée arrivée.

Les lois de la semence et de la récolte sont immuables dans toutes les facettes de l'existence, qu'il s'agisse des affaires concernant la végétation, la reproduction biologique, ou celles de l'esprit et du bonheur. En tout, il suffit de semer d'abord, et d'arroser ensuite. La merveilleuse et prodigieuse vie se charge elle-même de faire le reste. D'ailleurs l'Écriture sainte ne mentionnet-elle pas que l'homme plante, qu'il arrose, et qu'ensuite, Dieu lui-même, c'est-à-dire l'Auteur de la magnifique vie, se charge de faire croître! Mais la vie aurait-elle des raisons de faire croître là où aucune semence n'aurait été semée?

S'il serait insensé de la part d'un cultivateur d'exiger de la terre qu'elle produise des récoltes de végétation qu'il ne se serait jamais donné la peine de planter, et encore moins d'entretenir et d'arroser, de même, il serait tout à fait insensé et vain de notre part d'exiger des autres qu'ils nous aiment, nous témoignent de l'affection et de la compréhension si, de notre part, nous ne nous sommes jamais donné la peine de semer aucune semence correspondante dans leur coeur.

Pour être à même de pouvoir satisfaire notre premier grand besoin humain fondamental, soit celui qui consiste à aimer et être aimé, il y a une autre chose qu'il importe de bien comprendre. Nous devons absolument savoir que pour que tel besoin fondamental puisse être pleinement satisfait en nous, ce n'est pas de la pitié que nous devons inspirer de la part d'autrui, mais de l'amour franc et authentique. Voyons quelle différence il peut y avoir entre la pitié et l'amour authentique.

Ces dernières années, le monde entier s'est ému à propos des millions de pauvres petits enfants qui meurent de faim en Afrique. Ainsi, dans un élan de pitié admirable, l'humanité a tout mis en oeuvre afin de faire parvenir des millions de tonnes de denrées de toutes sortes à ces pauvres affamés. Mais, suite à une telle démonstration de pitié, les mêmes gens sont-elles parvenues à s'aimer vraiment, d'un amour franc et authentique? Si tel était le cas, alors il n'y aurait plus de conflits ni de guerres sur notre planète.

Par exemple, toujours dans un vigoureux élan de pitié, on a pu voir des nations ennemies unir leurs efforts, et tout mettre en commun pour apporter un peu de soulagement matériel à ces pauvres êtres mourant littéralement de faim. Mais aujourd'hui, suite à une telle démonstration de pitié, ces mêmes nations s'aiment-elles vraiment d'un amour qui soit à la fois authentique et tout à fait désintéressé?

Non, les blancs et les noirs se détestent toujours avec autant d'obstination qu'avant. Les Russes et les Américains sont toujours en compétition dans la course pour la domination du monde. L'Europe et l'Amérique sont toujours en concurrence économique. Les pays d'Afrique eux-mêmes, bien que partageant en commun les affres de la faim et de la misère, ne parviennent toujours pas à s'entendre et encore moins à s'aimer d'un amour authentique.

Qu'est-ce donc à dire? Que le fait d'inspirer de la pitié, ou d'insister pour que les autres nous témoignent de la pitié ne constitue pas le moyen qu'il convienne de prendre pour pouvoir parvenir à la totale satisfaction de notre grand besoin humain fondamental, c'est-à-dire aimer et être aimé.

Bien sûr, on peut être tout à fait disposé à partager notre repas du soir avec un pauvre être affamé; mais de là à placer toute notre confiance dans une telle personne, ceci au point de lui confier un emploi comportant certaines responsabilités, c'est une autre paire de manches. Voilà donc un exemple illustrant la différence entre la pitié et l'amour authentique.

La pitié incite l'être humain à accomplir un acte de générosité passager, tandis que l'amour authentique, lui, attire irrésistiblement les individus les uns aux autres. Cette sorte d'amour fait bien plus qu'attirer les gens; il a aussi le pouvoir de cimenter en permanence des liens d'amitié qui, avec le temps, deviennent pratiquement indéfectibles. Voilà donc jusqu'où peut conduire l'amour authentique: à l'amitié. En résumé, on peut dire que l'amour authentique, cimenté d'une amitié indéfectible, ne passe jamais, ou n'en finit pas de durer en permanence, envers et contre tout.

Il n'y a donc pas lieu de se tracasser à propos de la satisfaction de notre premier grand besoin humain fondamental. Il suffit tout d'abord de bien s'appliquer soi-même à démontrer aux autres qu'on les aime vraiment; ensuite, la vie elle-même se chargera du reste. Oui, la vie se chargera sûrement de faire croître et grandir jusqu'au point de transformer en abondantes récoltes de fruits la moindre graine de semence d'amour authentique qu'on se serait donné la peine de semer et d'arroser dans l'un ou l'autre des coeurs qui nous entourent.

Ayant toutes ces données fraîches à l'esprit, examinons maintenant les quelques étapes précises qu'il importe d'entreprendre et de franchir pour parvenir à la saine satisfaction de notre premier grand besoin humain fondamental: être aimé de nos semblables.

Tout d'abord, avant de parvenir à la récolte de l'amour authentique de la part des autres à notre égard, il importe absolument de se faire ACCEPTER des autres. En effet, sans acceptation, il serait très difficile de prétendre aimer; car comment peut-on vraiment aimer ce que l'on n'accepte pas? Comment pourrait-on prétendre aimer le caramel si l'on ne tolère pas les sucreries? La personne qui part en guerre contre le sucre en général pourrait-elle parvenir à aimer vraiment l'une ou l'autre des sucreries confectionnées par l'industrie alimentaire moderne?

De même, la personne qui a horreur du tabagisme irait-elle solliciter un emploi dans une usine de fabrique de cigarettes? Une autre personne qui a horreur de la guerre, ainsi que de ses conséquences désastreuses, telle personne aurait-elle l'audace d'aller travailler dans une usine produisant des armes de combat? Encore, une personne qui est strictement contre toute forme de violence pourrait-elle se régaler mentalement dans la contemplation des nombreux films violents qui sont montrés sur le petit écran?

Il est donc absolument impossible de parvenir à aimer vraiment ce que l'on n'accepte pas. Ainsi, si nous tenons absolument à ce que les autres parviennent naturellement à nous aimer d'un amour franc et authentique, nous nous devons de nous faire d'abord ACCEPTER d'eux. Mais comment parvient-on à se faire accepter de nos semblables?

Pour se faire accepter des autres, il faut savoir se placer à leur niveau. Quiconque donne aux autres la nette impression qu'il se considère comme étant supérieur à autrui, celui-là ne parviendra jamais à se faire accepter des autres. De même, celle qui parle sans arrêt, qui ne consacre pas une seule minute de son temps afin d'écouter les autres, qui se plaint sans cesse, qui critique tout ce qui ne correspond pas à ses critères personnels, qui ne cède jamais, ne parviendra absolument pas à se faire accepter des autres. Qui fait semblant d'écouter les autres, ou qui les écoute d'une manière distraite ne parviendra pas non plus à se faire accepter de tels autres.

Pour parvenir à se faire accepter des autres, il faut absolument marcher à leur cadence. Celui, ou celle qui veut parvenir à l'acceptation des autres se doit absolument de bannir le moindre esprit de compétition. De plus, le bavardage, la moquerie, la jalousie, le manque de sincérité, la vantardise, l'orgueil, l'incompréhension, l'obstination, l'égoïsme, ce ne sont là que quelques-uns des défauts de l'esprit dont il importe absolument de se départir si l'on tient à s'assurer à ce que les autres nous acceptent vraiment.

Il faut absolument bien comprendre que les autres, c'est-à-dire tous les êtres humains qui nous entourent, et de qui nous sollicitons l'acceptation, sont en tous points faits comme nous. Ce qui signifie qu'ils acceptent naturellement, ou détestent obstinément tout ce que nous acceptons ou détestons nous-même personnellement. Comprendre clairement cette règle fondamentale, qui constitue le pivot central des relations humaines en général, c'est poser un jalon important dans notre démarche consistant à nous faire accepter des autres.

Pour un moment, imaginez que vous êtes en train de marcher sur un trottoir quelconque de votre ville. Soudain, un promeneur, qui s'en vient à votre rencontre, se place effrontément juste devant vous et vous arrête en vous agrippant brusquement par les épaules. Ce drôle de promeneur désirait vous parler et, afin de retenir votre attention, il choisit la méthode brutale, soit celle consistant à vous bloquer littéralement le chemin. Accepteriez-vous de converser calmement et gentiment avec un tel effronté? Non, bien sûr!

Par contre, tout en poursuivant votre marche, toujours sur le même trottoir, vous vous rendez compte qu'un autre promeneur est en train d'accélérer le pas afin de vous rattraper. Ce promeneur circule dans le même sens que vous. Il veut vous parler absolument, mais au lieu de vous gêner dans votre marche, c'est lui qui choisit de faire l'effort nécessaire afin de venir se placer à votre niveau, ceci afin de ne pas vous gêner de quelque manière que ce soit. Sans que vous n'ayiez ralenti le pas, le promeneur est maintenant à vos côtés; il marche à votre cadence et vous aborde avec un sourire amical. Allez-vous réagir avec ce dernier de la même manière que vous avez pu réagir avec le premier, c'est-à-dire cet effronté qui cherchait à vous barrer le chemin afin de vous aborder? Non, évidemment! Vous allez aimablement et naturellement accorder votre attention à ce dernier promeneur pour la bonne raison qu'il est parvenu à se faire accepter de vous en ne vous gênant pas dans votre marche, mais en coopérant plutôt avec vous. Il a choisi la sage méthode qui a consisté à se placer à votre niveau et vous l'avez accepté naturellement.

Ainsi doit-il toujours en être dans nos nombreuses démarches qui consistent à se faire accepter des autres. Tous les êtres humains qui nous entourent n'éprouveront aucune difficulté à nous accepter si nous prenons d'abord le soin de nous placer à leur niveau; ensuite, si nous marchons à leur cadence; enfin, si nous ne les gênons pas dans leur évolution personnelle.

Prendre le temps de bien écouter, attentivement et sincèrement, tous les autres lorsqu'ils s'adressent à nous; leur mentionner jusqu'à quel point nous comprenons et respectons bien leurs sentiments, leur offrir notre aide sans aucune arrière-pensée de notre part, ne jamais manquer une opportunité de les féliciter sincèrement et chaleureusement, leur pardonner leurs manquements à notre égard, toujours se placer à leur niveau «à eux», partager leurs peines comme leurs joies, voilà autant de merveilleuses façons de nous y prendre si nous voulons franchir la première étape de la grande opération d'envergure qui mène directement à l'acceptation des autres à notre égard, puis à la récolte de leur amour authentique.

La seconde étape à franchir dans le délicat processus pouvant amener les autres à nous témoigner un amour authentique consiste à nous faire APPRÉCIER de tels autres.

Nous pouvons parvenir à accepter le fait que notre voisin puisse s'acheter une automobile d'une certaine marque; cependant, pour que nous en venions nous-même à acheter un modèle semblable, il nous faudra d'abord apprécier les avantages d'acquérir telle marque plutôt qu'une autre.

De même, nous pouvons assez facilement accepter le fait qu'un nouveau restaurant se spécialisant dans la vente d'hamburgers ouvre ses portes dans notre ville. Mais de là à aller nous-mêmes manger dans tel restaurant, il y a toute une marge à franchir. Cependant, le restaurateur en question parviendra à nous attirer dans son établissement le jour où il sera enfin parvenu à nous faire «apprécier» l'originalité et la qualité de ses hamburgers. Donc, tant et aussi longtemps que ce restaurateur n'aura pas franchi l'étape de l'appréciation, c'est-à-dire qu'il n'aura pas touché une corde sensible de notre coeur, il ne pourra jamais compter sur la fidélité de notre clientèle.

Mais à partir du moment où il sera parvenu à nous

convaincre de la grande valeur de sa restauration, en nous permettant de goûter un échantillon de ses mets, il pourra alors compter sur nous si toutefois telle dégustation a satisfait autant les critères de notre estomac que ceux de notre palais.

Nous ne pouvons parvenir à l'amour d'un produit quelconque qu'à la stricte condition d'avoir pu d'abord apprécier tel produit. Il importe de bien comprendre que la logique de cet énoncé est tout aussi valable dans le délicat processus des relations humaines que dans celui de la restauration, ou de l'alimentation en général.

Comment pouvons-nous donner aux gens des occasions de nous apprécier vraiment, voire de «goûter» à la sorte de qualités qui se trouvent à l'intérieur de nous? La démarche à employer est en tous points identique à celle que droit prendre le restaurateur qui veut à tout prix s'attirer la fidélité de notre clientèle.

Les autres auront des raisons de nous apprécier dans la mesure où ils auront l'occasion de goûter un échantillon des mets, ou qualités qui se trouvent au-dedans de nous. Ils apprécieront et aimeront notre compagnie dans la mesure où nous parviendrons à combler l'un ou l'autre de leurs nombreux besoins humains. Que ces besoins soient fondamentaux ou secondaires importe peu. Le seul fait de notre part de combler chez autrui un certain besoin a toujours le don d'inciter tel autrui à apprécier l'être qui a su combler tel besoin. Par exemple, si vous avez faim de déguster une pizza, vous apprécierez bien plus d'aller dans un restaurant qui saura combler ce besoin personnel du moment que d'aller dans un restaurant qui, lui, vendrait des hamburgers.

Imaginons, par exemple, qu'il vienne de tomber une importante bordée de neige dans votre région. Après la tempête, vous sortez votre grosse et puissante souffleuse à neige, et, en moins d'une heure, vous nettoyez facilement votre entrée de cour. Tout en circulant dans tous les sens avec votre engin, vous ne manquez pas de remarquer que vos voisins ne sont pas aussi chanceux que vous. Ne disposant pas de souffleuse, ils sont donc forcés d'enlever à la pelle toute la neige se trouvant dans leur entrée; ce qui, en plus d'être très épuisant, prend énormément de temps.

Bien sûr, vous avez parfaitement le droit de posséder une grosse et puissante souffleuse à neige, et il est bien certain qu'aucun de vos voisins ne vous en ferait des reproches. Etant des êtres civilisés, aucun de vos voisins n'aurait de mal à «accepter» le fait que vous ayiez le droit absolu d'être l'heureux propriétaire d'un tel engin. Mais, les choses en restant là, est-ce ainsi que vous parviendriez à vous faire APPRÉCIER par vos voisins? Non, bien sûr!

Maintenant que vos voisins ont «accepté» le fait que vous êtes parfaitement dans votre droit absolu de posséder une souffleuse, vous n'aurez aucune difficulté à vous faire «apprécier» d'eux si, après avoir déneigé votre entrée, vous allez les secourir avec votre puissante souffleuse. Ainsi, le fait d'avoir permis à vos voisins de «goûter» à certaines de vos qualités intérieures, entre autres la compréhension, la générosité et la bonté, ceci au moment même où il y avait un besoin évident à combler chez eux, aura donc le don merveilleux de vous faire certainement apprécier d'eux.

Maintenant que vos voisins sont devenus à même de «goûter» à un échantillon de vos merveilleuses qualités intérieures, ils ne sont pas prêts d'oublier le grand service que vous venez de leur rendre. Vous avez eu le coeur de discerner un besoin humain à combler chez vos voisins, et, en retour, ceux-ci vous le rendront sur-le-champ sous forme d'appréciation. Enfin, de là à vous attirer leur amitié authentique, il n'y a qu'un pas, c'est-à-dire que le processus de la croissance de la vie fera le reste. Il n'y a aucune inquiétude à ce sujet; vous avez eu le coeur de semer, désormais la vie produira les fruits correspondant à votre semence.

Imaginons maintenant que votre voisine, après avoir passé toute une matinée à laver son linge et l'avoir étendu sur la corde à linge, s'en va faire des emplettes au centre d'achats. Tout à coup, le vent se lève subitement et, à cause de la surcharge évidente, la corde à linge se rompt et voilà que tout le linge de la voisine se retrouve par terre dans la boue du printemps. Et la pauvre voisine qui n'est pas chez elle pour pouvoir intervenir. Qu'allez-vous faire?

93

Bien sûr, c'est votre droit absolu de ne rien faire du tout, sinon de raconter l'expérience à votre autre voisine et de plaindre la pauvre voisine qui va avoir tout un choc lorsqu'elle va retourner chez elle. Bien entendu, votre malheureuse voisine n'aura pas trop de difficulté à «accepter» le fait que vous étiez dans votre droit en n'agissant pas. Mais serait-ce en procédant ainsi, c'est-à-dire en n'agissant pas, que vous parviendriez à vous faire apprécier de votre voisine?

Par contre, si après avoir constaté ce qui venait d'arriver au linge de votre voisine, vous vous empressez d'aller ramasser le tout, de laver à nouveau tout le linge et de l'étendre sur votre propre corde à linge, quels sentiments la pauvre voisine aura-t-elle à votre égard lorsqu'elle arrivera chez elle et qu'elle sera mise au courant de sa mésaventure? Votre voisine n'aurait-elle pas alors de solides raisons de vous APPRÉCIER? En somme, comment une femme pourrait-elle être insensible à un tel service de la part d'une voisine? Qui pourrait oublier une telle compréhension et autant de bonté et de générosité de la part d'un être humain? N'est-ce pas là une excellente façon de parvenir à l'appréciation de nos semblables à notre égard?

On ne manque jamais de se faire apprécier de nos semblables quand, de bon coeur et de tout notre être, nous nous empressons de leur venir en aide et de les secourir dès l'instant qu'un certain besoin se fait sentir chez eux.

Dépanner un automobiliste qui est en panne le long

de la route; aider le voisin à déneiger son entrée de cour; offrir une collation à des ouvriers de la construction qui sont en train de construire une maison sur le terrain voisin; garder les enfants de la voisine alors qu'elle est à l'hôpital; offrir à une personne âgée d'aller la conduire en ville pour qu'elle puisse faire ses emplettes; surveiller soigneusement la propriété des voisins durant leur séjour en campagne; prêter un peu d'argent à quelqu'un qui se trouve momentanément gêné financièrement; écrire une courte lettre de félicitations à une personne méritante qui vient de mener à bon port la réalisation d'un projet qui lui tenait à coeur; donner un petit cadeau à une voisine qui vient de donner naissance à son troisième enfant; donner un coup de téléphone à un être solitaire que vous savez se mourant d'ennui; et combien d'autres actions du genre pouvons-nous aisément accomplir à l'égard de nos semblables!

Tous ces petits gestes humanitaires, qui répondent tous à un besoin du moment, seront fort appréciés si nous les effectuons de bon coeur, de bon gré, avec empressement et sans aucune arrière-pensée de cupidité.

Il faut toujours garder bien présent à l'esprit qu'à partir du moment où les autres ont des raisons d'apprécier ce que l'on fait pour les aider et les convaincre de notre amour authentique, ils en viennent très vite à NOUS accepter en tant qu'être humain, dans notre entier et tel que nous sommes. Au début, les gens apprécieront le geste d'amour comme tel;

mais en relativement peu de temps, si tel geste initial est soigneusement arrosé d'autres petites marques d'attention, ces mêmes gens finiront bien par nous APPRÉCIER dans notre entité d'être humain. Et dans le domaine de l'appréciation, le physique et l'argent importent peu; ce sont plutôt les actes concrets qui sont posés qui sont déterminants.

Se faire ACCEPTER des autres en se plaçant humblement à leur niveau personnel; ensuite, se faire APPRÉCIER de tels autres en posant généreusement toutes sortes d'actes précis et empressés qui sauront combler un besoin du moment chez autrui, voilà ce qui constitue, en résumé, le processus infaillible pouvant déboucher sur la récolte d'un amour authentique des autres à notre égard.

En conclusion, il convient de ne jamais sous-estimer le fait important que les autres, TOUS les autres, sont en tous points identiques à nous-mêmes ainsi qu'à tout ce qui mijote à l'intérieur de notre esprit, de notre coeur, voire de tout notre être. Enfin, il faut absolument semer dans le coeur d'autrui tout ce que l'on tient à le voir produire à notre égard!

CHAPITRE 6

L'art de combler ses besoins matériels

«Ne me donne ni richesse ni pauvreté". C'est ainsi que s'exprima un jour un roi alors qu'il était en train de prier son Dieu. Cet ancien roi refusait la richesse, car il avait peur d'en oublier Dieu. De même, il ne tenait pas non plus à vivre dans la pauvreté; car, selon lui, il avait peur de sombrer dans une telle détresse qu'il en viendrait peut-être à maudire Dieu.

Une fois le nécessaire quotidien assuré, il n'y a pas plus de bonheur à vivre dans un palais que dans une maison faite en chaume; mais encore faut-il que le nécessaire soit assuré.

Ces dernières années, on a pu constater qu'un nombre sans cesse grandissant de gens, des jeunes surtout, éprouvaient toutes les misères au monde à joindre les deux bouts. En effet, la vie est devenue tellement chère de nos jours, qu'il faut déployer toutes sortes de techniques de calcul et d'ingéniosité pour pouvoir parvenir à combler de manière raisonnable l'ensemble de nos besoins quotidiens; qu'il s'agisse du logement, de la nourriture ou du vêtement, trois aspects qui constituent un tout pouvant se définir comme le deuxième grand besoin humain fondamental.

Cependant, même avec la cherté de la vie, il est quand même possible, à notre époque, de parvenir à combler raisonnablement l'ensemble de notre second besoin humain de base.

Dans le cours de mon existence, j'ai souvent été à même de rencontrer des gens qui manquaient des nécessités de la vie. Cependant, lorsque je prenais le soin d'examiner certains de ces cas un peu plus en profondeur, j'arrivais à comprendre que, dans la plupart des cas, bien des problèmes pécuniaires auraient pu être surmontés, voire même évités, si certains de ces individus avaient bien voulu s'en donner la peine.

Bien sûr, il y a des gens qui n'ont pas eu tellement de chance dans leur vie, surtout en ce qui a trait à l'aspect monétaire de leur existence. Par exemple, certains sont suffisamment handicapés au point de ne pas pouvoir entreprendre de carrière quelconque. D'autres ont dû endosser de lourdes responsabilités familiales; ce qui, bien entendu, a largement contribué à leur désavantage matériel. D'autres encore, des femmes et des jeunes surtout, ont été abandonnés par un mari ou un père et ainsi laissés à eux-mêmes. Tous ces facteurs précités ont sûrement joué un certain rôle en rapport avec les problèmes financiers de bien des gens.

De tels exemples ne sont que quelques-uns des cas de personnes qui, souvent bien malgré elles, n'ont guère d'autre choix que celui de devoir vivre d'assistance publique. Et nous pouvons nous proclamer heureux de pouvoir vivre dans un endroit de la planète qui s'est donné des structures sociales afin d'assurer le minimum vital aux plus démunis de la société.

Mais à part certains cas bien particuliers, la plupart des problèmes que doivent affronter de nombreux individus en rapport avec leurs besoins financiers sembleraient être la cause directe de certaines négligences personnelles étant survenues à un moment ou l'autre de l'existence de telles personnes.

Voici un exemple marquant de ce que je viens d'avancer précédemment. Un jour, tout à fait par hasard, alors que j'entrais dans un centre commercial, j'aperçus un important groupe de jeunes adolescents qui, au lieu d'être à l'école, gaspillaient lamentablement leur temps et leurs quelques sous d'économie à jouer avec des machines électroniques dans une arcade. Ces adolescents devront-ils être surpris si, dans quelques années, ils ne parviennent pas à se trouver de l'emploi convenable leur permettant ainsi de satisfaire leur second grand besoin humain fondamental?

Il m'est arrivé souvent de rencontrer des gens qui, au lieu de consacrer les meilleures années de leur existence à l'étude et à l'acquisition de connaissances pratiques, n'hésitaient nullement à dilapider tous leurs moments libres en s'adonnant aux divertissements les plus puérils qui soient.

J'en ai rencontré qui dilapidaient leur argent. D'autres encore qui passaient de longues soirées, voire des week-ends entiers à regarder passivement la télévision et à commérer alors qu'ils auraient dû consacrer au moins une partie de leurs loisirs à l'étude, ou à l'acquisition d'une formation pratique pour leur avenir. Evidemment, tous les gaspilleurs de temps sont toujours les premiers à se plaindre de leur manque de chance, à critiquer et à envier tout le monde et le système tout entier à chaque fois qu'ils sont confrontés à un sérieux problème financier dans certains tournants du déroulement de leur vie.

Gaspiller son temps et ses énergies à des occupations négatives, boire immodérément, dilapider son argent, accomplir du mauvais travail, s'abandonner à l'insouciance et à l'indifférence, ce ne sont là que quelques-uns des moyens les plus efficaces à prendre pour atteindre le plus sûrement la pauvreté, le découragement, et finalement ce profond «mal de vivre» qui constitue le trouble caractéristique de tant d'êtres négligents de notre temps.

Etant donné le fait que l'être humain se doit d'être à même de pouvoir satisfaire raisonnablement ses besoins matériels pour devenir à même de goûter à un bonheur de vivre qui soit à la fois sain, équilibré et satisfaisant, nous examinerons certaines suggestions pratiques, toutes tirées de la vie pratique, qui nous aideront à devenir mieux équipés pour pouvoir affronter les diverses nécessités physiques de la vie courante.

Savoir employer sagement le temps est sans doute le premier sage conseil que j'ai souvent été à même de constater à travers mes nombreux contacts avec des gens de toutes sortes. Combien de fois ai-je rencontré des individus démunis au plus haut point, découragés et végétant dans le besoin qui, à un certain moment du déroulement de leur existence, ne se gênaient nullement pour gaspiller lamentablement les heures les plus productives et précieuses de leur vie.

C'est inimaginable tout ce que nous pouvons accomplir avec le temps. Par exemple, pour vous permettre d'entrevoir ne serait-ce qu'un aperçu de tout ce que l'on peut réaliser dans une seule heure de temps, essayez, si vous le voulez bien, de compter à partir de 1 jusqu'à 3,600. Si vous vous appliquez à compter au même rythme que votre montre, soit un nombre à chaque seconde, cela vous prendra une heure avant de pouvoir atteindre le chiffre 3,600.

Maintenant, si vous tenez absolument à constater par vous-même tout ce qu'il est possible d'accomplir à l'intérieur d'une seule heure de temps, sortez à l'extérieur de votre maison et commencez à marcher en même temps que vous commencerez à compter. Ainsi, sans trop vous en rendre compte, vous aurez le temps de parcourir environ cinq kilomètres avant d'arriver au chiffre 3,600. Donc, si vous vous donnez la peine d'effectuer une telle marche, quotidiennement, vous pourriez parcourir une moyenne de mille huit cents kilomètres en moins d'un an, soit environ huit fois la distance se trouvant entre Montréal et Québec. On peut facilement imaginer quels heureux effets une telle randonnée, effectuée quotidiennement sur une base d'un an, pourrait avoir sur notre pauvre coeur engourdi par la sédentarité.

Il y a des gens qui prétendent que le temps c'est de l'argent. Mais le temps est pas mal plus précieux que l'argent; c'est l'essence même de la vie. Le temps est le vêtement avec lequel est revêtue la vie. Donc, gaspiller le temps, c'est comme déshabiller la vie. Et qu'arrivera-t-il à l'être qui déshabille effrontément la vie, sinon de devoir un jour se retrouver dans la nudité et la honte? Celui qui gaspille le temps, soit le tissu même de la vie, devra-t-il être surpris si, un beau jour, il se retrouve tout à fait nu dans le besoin, les gémissements et le découragement?

Si vous êtes une jeune personne, alors s'il vous plaît, ne gaspillez pas une seule heure du précieux temps que la vie vous a généreusement alloué. Employez sagement chaque heure de votre capital-temps en vous appliquant dans vos études. Ecoutez attentivement les sages conseils de vos parents et de vos enseignants, ainsi ceci vous permettra d'économiser beaucoup de temps. N'allez pas faire la bêtise de dilapider votre temps de loisir en accomplissant des activités négatives, voire nuisibles. Profitez abondamment et sagement de tout le temps dont vous disposez afin de vous doter d'un solide bagage de connaissances qui ne manqueront certainement pas de vous être utiles un jour ou l'autre dans le futur de votre existence. Profitez abondamment du fait que vous n'êtes pas surchargé de responsabilités pour parfaire au mieux votre instruction et votre éducation. Ce faisant, soyez alors absolument convaincu(e) que vous n'aurez pas à le regretter plus tard.

Si vous avez quitté l'école, et que vous soyez maintenant sur le marché du travail, alors employez le plus sagement possible le temps de vos loisirs afin de racheter au maximum toutes ces précieuses minutes de temps que vous avez peut-être dilapidées lorsque vous étiez plus jeune. Ajoutez d'autres cordes à votre arc en apprenant à vous perfectionner dans quelques autres métiers. Faites ainsi et vous verrez bien jusqu'à quel point cette façon de faire pourra vous rapporter des dividendes plus tard.

Maintenant, si vous êtes parent, et quelque soit votre âge et vos responsabilités, utilisez au mieux les quelques heures de temps dont vous disposez afin de vous adonner à l'accomplissement de quelque tâche utile et positive. Combien de personnes d'âge mûr ont pu ainsi apprendre une nouvelle langue, un nouveau métier, écrire un livre, apprendre à jouer d'un instrument de musique, bricoler un meuble, et combien d'autres choses pratiques et positives du même genre!

Au fait, voulez-vous savoir de quelle façon j'ai rédigé le présent livre? Non pas à plein temps, ni même à temps partiel. Ce livre que vous tenez entre les mains, je l'ai bâti, mot par mot, ligne par ligne, phrase par phrase, chapitre par chapitre en employant au maximum chaque minute de temps libre dont je disposais. Ainsi, grâce à un petit cinq minutes par ci et à un autre dix minutes par là, j'ai finalement réussi à réaliser la rédaction de cet ouvrage dont la production me tenait à coeur depuis un certain nombre d'années déjà.

Rappelez-vous toujours le point important suivant: Le temps est infiniment plus précieux que l'argent. On peut toujours récupérer une certaine somme d'argent qu'on aurait perdue, soit par le travail, l'emprunt, ou même un don reçu. Mais pour ce qui est du temps, il est tout simplement impossible de se faire rembourser par la vie une seule seconde de temps que l'on aurait négligemment gaspillée. Oui, dilapider le temps, le gaspiller, c'est dévêtir la vie. Et la vie, comme un être humain, ne supporte absolument pas qu'on la mette ainsi à nue publiquement. Elle parvient à se venger tôt ou tard de quiconque chercherait à la dénuder.

Le deuxième conseil pratique que j'ai souvent été à même d'observer en rapport avec notre sujet, c'est celui qui consiste à apprendre l'art d'économiser son argent.

En général, les individus qui gaspillent leur temps dilapident aussi leur argent. Il semble bien qu'une forme de gaspillage ne va pas sans l'autre. Le gaspillage de son argent constitue une attitude de vie très malsaine dont il importe de se départir le plus tôt possible dans le déroulement de notre existence.

Les gens qui dilapident leur argent sont généralement obligés de recourir à l'endettement afin de pouvoir combler leurs nombreux besoins matériels. De nos jours, il n'est pas rare de voir des gouvernements recourir à l'emprunt pour acquitter les dépenses élémentaires ou courantes de leur nation. Ainsi, ces dernières années, on a pu constater que de nombreux pays riches se sont vus forcés d'emprunter de fortes sommes d'argent, à des taux d'intérêt exagérés, simplement pour pouvoir supporter les dépenses de certains programmes tout à fait improductifs. On définit cette sorte d'emprunts sous la forme de dettes pour pouvoir payer les dépenses quotidiennes d'épicerie.

De tels procédés, est-il besoin de le mentionner, ne peuvent aboutir à nulle part ailleurs qu'à la faillite à moyen terme, le tout dépendant de la capacité des contribuables de payer des impôts qui deviennent toujours de plus en plus lourds, ceci jusqu'au point de devenir tout simplement insupportables.

Etant donné que le fait de gaspiller son argent et son temps est avant tout une question d'attitude, il importe donc de transformer notre façon de voir les choses à cet égard. Mais comment parvient-on à changer d'attitude? On y parvient de la même manière qu'on parvient à changer de direction avec une automobile. Comme c'est relativement facile de changer de direction avec une auto! Il suffit tout simplement d'embrayer en sens inverse, et l'auto, plutôt que d'avancer ou reculer, ira dans l'autre direction. De même, on parvient assez facilement à changer notre attitude dès l'instant qu'on s'applique sérieusement et sincèrement à aller dans le sens contraire de notre démarche habituelle.

Ainsi, au lieu de gaspiller un dollar pour l'achat de friandises, pourquoi ne pas mettre ce dollar de côté, et, dès que l'occasion se présentera, le déposer à la banque dans un compte à intérêt? Alors, le même dollar économisé deviendra rapidement deux dollars, et il n'en finira plus de se multiplier s'il est sagement utilisé dans le sens contraire de la dépense, soit dans le sens de l'économie.

Je connais des personnes qui, à partir d'économies minimes ont pu se constituer des jolies petites fortunes. Par exemple, grâce à des économies fructueuses, ces mêmes personnes ont été à même de satisfaire pleinement et raisonnablement leur besoin fondamental d'un logement convenable. Désormais, au lieu de payer à jamais des loyers, sans aucun espoir de revoir la couleur de leur argent, telles personnes n'ont pas tardé à apprécier les nombreux avantages qu'il y a à posséder leur propre demeure.

Fumer, boire exagérément, voyager sans raison, passer tout son temps à s'empiffrer dans les restaurants, payer de lourds intérêts aux banques émettrices de cartes de crédit, ce ne sont là que quelques-unes des façons modernes de dilapider et gaspiller lamentablement l'argent dont on dispose. Economiser ses sous a toujours le don merveilleux d'enrichir la personne qui adopte la sage attitude de l'économie.

Bien entendu, quand je parle d'économiser son argent, je n'ai pas à l'esprit cette forme d'avarice qu'avait un certain Séraphin Poudrier. Par économie, j'entends simplement qu'il y a bien mieux à faire avec son argent durement gagné que de le dilapider en fumée, en liquide, ou en toutes sortes d'autres activités négatives et souvent nuisibles qui ne font qu'appauvrir ceux et celles qui s'y adonnent.

Si vous voulez absolument connaître les joies de l'économie, alors parlez à ceux et celles qui peuvent se payer comptant un bien utile, et qui, de cette façon, n'ont pas à se serrer la ceinture ou à gémir dans la dépression lorsque les fins de mois se présentent à leur porte.

Cultiver l'art du contentement constitue un autre excellent moyen de parvenir à satisfaire ses propres besoins matériels. En effet, plus une personne apprend à se contenter des choses qu'elle possède, moins elle connaît de frustrations à cause de tout ce qui pourrait lui manquer.

Les personnes qui ne parviennent pas à se contenter de ce qu'elles ont sont certainement les personnes les plus malheureuses qui soient sur notre planète. Car le mécontentement engendre toujours la frustration. De son côté, la frustration donne naissance à l'envie pour d'autres choses. Enfin, l'envie, ou le désir immodéré à l'égard de gadgets de toutes sortes conduit inévitablement à l'endettement, voire à plus de pauvreté. N'est-il pas évident de constater qu'à notre époque, un grand nombre d'individus qui souffrent du «mal de vivre» sont aussi atteints du mécontentement vis-à-vis leurs propres conditions de vie?

Que dire maintenant de la discipline? La discipline constitue, à n'en pas douter, un autre excellent et très important maillon de la formidable chaîne qui a le pouvoir de nous relier à la satisfaction raisonnable et adéquate de notre second grand besoin humain fondamental.

Tous les grands sportifs, les musiciens, les artistes, les écrivains, les professionnels de tout genre, les pilotes, vous le confirmeront. C'est la discipline assidue qui leur a permis de se hisser dans les rangs de la réussite. Sans la discipline, aucun professionnel n'aurait pu acquérir le diplôme qui lui a désormais ouvert les portes de la pratique de la médecine, du droit, ou de la pratique de quelque autre profession que ce soit. De même, c'est en se disciplinant que des sportifs ont pu se mériter les trophées et les hauts salaires qu'ils

essayer de caresser l
il est enragé.

La discrétion dan
autre engrais de gran
mieux à la croissanc
Le bavardage, la calc
lument pas leur place
communication. D'ail
au courant du fait pr
nos oreilles contre un
certainement pas de b
sonne à la prochaine
ront à la portée de s
de ne jamais sous-es
sonnes bavardes sont
par les êtres intellige
plus haut point le
communication.

La COMPRÉHENS
dient précieux de la m
d'utiliser pour parveni
familiale qui soit à la f
ratrice de paix et de

Vu le fait que notre
à une jungle qu'à une
res et de soeurs unis,
de s'attendre d'être pa
d'un tel monde qui est
en course constante co

Construire une vie fami réconfortant

Le troisième grand besoin fondame
les êtres humains, c'est celui qui cor
au plus profond du coeur, vivre
ambiance familiale qui soit à la fois ha
sible et réconfortante. En effet, qui d
pas un tel désir au plus profond de l
qui est tout à fait légitime d'ailleurs?

Dans ce chapitre, nous ne parler
manière qu'il convient de s'y prendre p
conjoint. La plupart des individus, ga
n'ayant pas tellement de difficultés po
conjoint ni pour se marier, nous n'ab
pas cet aspect du début de la vie fam

Cependant, si le problème conjugal,
se situe pas au niveau de la recherche

ont pu recueillir.

C'est aussi et seulement la discipline qui permettra à un grand fumeur, un ivrogne, un ami immodéré des plaisirs, un paresseux, un gaspilleur du temps, une dépensière, de parvenir à maîtriser et à changer tout à fait leurs sentiments négatifs à l'égard de l'économie, la modération, ou du travail.

La merveilleuse discipline est à la base de tout. On pourrait la comparer à la fondation d'un édifice. Un édifice sera solide et de haute qualité dépendant de la solidité de la fondation sur laquelle il est érigé. De même, nous deviendrons à même de pouvoir satisfaire raisonnablement nos divers besoins physiques et matériels dans la mesure où la discipline constituera la fondation de notre mode de vie quotidien et habituel. La bonne habitude de la discipline constitue donc un atout précieux dont il importe absolument de se doter le plus tôt possible dans la vie.

«Saisis la discipline; ne lâche pas, car elle est ta vie!» Qu'il avait donc raison de composer un tel proverbe ce grand et sage roi que l'on nommait Salomon!

Fréquenter des personnes sages, équilibrées et raisonnables constitue un autre excellent moyen de se construire une solide armure qui nous équipera de telle façon que l'on deviendra enfin à même de ne jamais manquer des nécessités de la vie. N'oublions pas que celui, ou celle qui fréquente les sages deviendra sage, mais qu'il arrivera à coup sûr malheur à qui-

L'art précieux
donc dans deux
l'aspect de la pa
ment, dans l'asp
Parler, écouter e
donc le champ
que pas de se c
point l'art p
communication.

Toutes sortes
importantes, co
auquel pourra
la conversation.
ner l'importance
s'adresse aux au
d'effrayer puis d
chez autrui. Le
nement militaire
donc de toujou
Enfin, le fait au
et franchement
dans le processu
l'art précieux de

Parler en tem
cipe essentiel au
voir parvenir à l
munication. To
jours plus d'eff
Chercher à entr
intéresse pas da

Le même phénomène peut aussi s'observer chez les animaux. Les bêtes domestiques sont aussi sensibles à l'affection et à la compréhension que le sont les êtres humains. Un chien qui est traité à coups de pied par ses maîtres se transformera vite en bête dangereuse pour le voisinage. Par contre, un chien vivant dans une ambiance d'affection et de compréhension sera toujours une source de grande joie et de plaisir pour tous les enfants du voisinage.

Si le fait est clairement reconnu que les plantes et les animaux, pourtant dépourvus d'intelligence et de qualités morales, sont sensibles à certaines marques de compréhension, alors que dire de l'être humain? Il est absolument certain que le Dieu d'amour, d'affection et de compréhension qui nous a créés, nous êtres humains, à son image et à sa ressemblance, s'attendait à ce que, tous ensemble, et surtout à l'intérieur de la cellule familiale, nous satisfassions au plus haut niveau notre besoin intense de compréhension mutuelle et de chaleur humaine.

Que dire maintenant de la MISÉRICORDE? Etant tous très imparfaits, et étant donné qu'il semble nous falloir énormément de temps pour tendre à la perfection, il ne nous reste plus alors qu'une seule issue à prendre si nous tenons à ce que nos relations familiales soient quelque peu supportables. Cette voie à emprunter n'est pas autre que celle qui a pour nom Miséricorde. Sans le précieux concours de la miséricorde, les relations familiales en particulier, et sociales en général, ne tarderaient pas à devenir intoléra-

124

CHAPITRE 7

Construire une vie familiale réconfortante

Le troisième grand besoin fondamental, inné à tous les êtres humains, c'est celui qui consiste à désirer, au plus profond du coeur, vivre au sein d'une ambiance familiale qui soit à la fois harmonieuse, paisible et réconfortante. En effet, qui d'entre nous n'a pas un tel désir au plus profond de lui-même, désir qui est tout à fait légitime d'ailleurs?

Dans ce chapitre, nous ne parlerons pas de la manière qu'il convient de s'y prendre pour trouver un conjoint. La plupart des individus, garçons et filles, n'ayant pas tellement de difficultés pour trouver un conjoint ni pour se marier, nous n'aborderons donc pas cet aspect du début de la vie familiale.

Cependant, si le problème conjugal, ou familial ne se situe pas au niveau de la recherche d'un conjoint,

113

et de se marier, il est par contre tout à fait exact de mentionner que c'est souvent après les épousailles que les choses commencent à se gâter. En effet, combien de fois rencontre-t-on des couples qui, une fois le choc des émotions de la lune de miel passé, se mettent à éprouver de sérieuses difficultés au sein de leur union.

Lorsqu'on constate qu'environ cinquante pour cent des couples divorcent, ou se séparent dans les quelques années suivant leur mariage, il n'est certainement pas vain de mentionner que le foyer de notre époque est cause de pas mal de malheurs et de drames humains. Et parmi les cinquante pour cent qui choisissent de demeurer mariés, combien peuvent affirmer honnêtement que leur cellule familiale constitue une véritable oasis de paix, d'harmonie et de bonheur de vivre?

Il est très important de pouvoir trouver son bonheur de vivre à l'intérieur de la cellule familiale; car, en dehors de cet arrangement, où pourrions-nous goûter vraiment et pleinement au véritable bonheur de vivre? Que l'on soit enfant, adolescent, adulte, ou encore homme ou femme, c'est à l'intérieur même du cercle familial que sont à même de se développer au mieux et au plus haut point toutes les innombrables facettes de notre personnalité humaine.

Dans la vie de l'être humain, il y a deux grandes sphères d'activités à l'intérieur desquelles nous évoluons toute notre vie durant. Il s'agit de la famille

114

d'abord, de la société ensuite. Tous, qui que nous soyons, nous n'avons pas d'autres champs d'activités que l'une ou l'autre de ces deux sphères d'évolution humaine: la famille et la société.

Nous serons à même de pouvoir bien fonctionner au sein de la société des humains, bien nous entendre avec les autres, nous y adapter, à la stricte condition que nous ayions développé harmonieusement toutes les facettes de notre personnalité en ce sens. Et où pouvons-nous cultiver et développer cette sorte de personnalité qui nous permettra de bien fonctionner une fois parvenu au sein de la société humaine, sinon au coeur même de la cellule familiale? Il n'est pas exagéré de dire que la cellule familiale constitue en quelque sorte un mini-laboratoire à l'intérieur duquel se développe pleinement toute notre personnalité. Il est donc très important, voire vital pour notre comportement futur, que nous puissions jouir d'une vie familiale et conjugale qui soit tout à fait appropriée au sain épanouissement de tout notre être.

Il ne faut pas se leurrer, ni se conter des histoires avec la sorte de personnalité qui nous est propre. Ce que deviendra notre personnalité se tisse jour après jour, tout comme une pièce de tissage, à l'intérieur du cercle familial. Et la sorte de personnalité que nous développons au foyer nous permettra de bien fonctionner parmi les autres êtres qui constituent la société humaine; ou, au contraire, nous handicapera fortement dans nos manoeuvres lorsque nous devrons agir au sein de ladite société.

Combien de fois avons-nous été à même de constater que des enfants étaient devenus des drogués, voire des criminels endurcis, pour la raison fondamentale qu'ils avaient eu le malheur de croître au sein d'un foyer malsain, désordonné, déséquilibré et malheureux. Le foyer est donc à juste titre un minuscule laboratoire dans lequel se développe notre personnalité; et la façon dont nous nous développons chez nous aura une puissante influence le jour où l'on sera inévitablement appelé à évoluer et à agir au sein même de la société, c'est-à-dire l'ensemble de la grande famille des humains.

Quiconque cultive et développe un comportement coléreux au sein de son foyer aura beaucoup de difficulté à bien s'entendre avec les autres. Celui qui ne communique pas avec son conjoint et les autres membres de sa famille aura beaucoup de difficulté à aborder et à converser, donc à bien s'entendre avec les autres. Tel autre encore, qui cultive et développe une attitude de violence à l'intérieur de son foyer, deviendra presqu'à coup sûr une personne violente dans la société. Une personne qui insiste pour que les membres de sa famille la prenne constamment en charge, et qui ne prend pas ses responsabilités au foyer, aura presqu'à coup sûr un comportement d'assistée une fois qu'elle évoluera à l'intérieur du cercle de la société humaine.

Il importe donc de garder bien clair à l'esprit que

116

la sorte de personnalité avec laquelle nous fonction-
nerons dans la société des humains se cultive déjà,
jour après jour, à l'intérieur de ce mini mais prodigieux laboratoire qu'est la cellule familiale.

Examinons maintenant les quelques recettes de succès qui ont depuis longtemps fait leurs preuves au sein
de tous les foyers heureux du monde, et qui, à n'en
pas douter, ne manqueront pas d'améliorer au plus
haut point les relations humaines à l'intérieur même
de votre cellule familiale si jamais vous constatez qu'il
y a certaines lacunes dans ce domaine.

Les quelques suggestions qui sont exposées dans
le présent chapitre sont le résultat absolu de constatations authentiques et vérifiables. Dans tous les foyers
heureux que j'ai eu le bonheur de rencontrer dans
le cours de ma vie, j'ai toujours été à même de constater que ces quelques recettes de succès conjugal et
familial étaient présentes et évidentes au plus haut
point. S'appliquer à les mettre rigoureusement en pratique aura toujours le don d'améliorer au plus haut
point la situation de quelque foyer que ce soit.

Ce qui m'a toujours frappé, et qui est clairement
évident d'ailleurs, lorsque j'entre en contact avec un
foyer heureux, c'est de constater jusqu'à quel point
l'art de la COMMUNICATION peut être développé.
Les foyers au sein desquels les lignes de communication sont constamment ouvertes, et bien entrete-
nues, produisent à tout coup des êtres humains qui

sont à la fois extravertis, ouverts, avenants, communicatifs, compréhensifs, chaleureux, équilibrés, joyeux et heureux de vivre.

Il n'y a pas si longtemps, dans les prisons, on enfermait les criminels endurcis dans des cachots obscurs et isolés de tous dans lesquels des êtres humains devaient passer de longues journées tout fin seuls, sans pouvoir communiquer avec qui que ce soit. En effet, le plus grand tort que l'on puisse causer à un être humain, c'est de l'isoler et ainsi le priver de tout contact avec ses semblables. Le fait de ne pas pouvoir communiquer avec les autres fait plus de ravages au cerveau humain que l'ignorance, ou les drogues les plus puissantes.

L'être humain a été doté d'une langue, d'un esprit, d'une intelligence et du merveilleux don de la parole, non pas pour vivre en solitaire, tout à fait isolé des autres, mais dans le but évident de COMMUNIQUER avec ses semblables. Pour pouvoir parvenir au sain épanouissement de tout son être et de sa personnalité, l'être humain a donc besoin de se joindre aux autres et de communiquer avec autrui.

Dans le domaine de la communication, on peut affirmer, sans aucun risque de se tromper, qu'il n'y a rien de plus efficace que ce mini-laboratoire qu'est le foyer. Oui, c'est au sein même de la cellule familiale que nous avons la possibilité de nous adonner au plus haut point, et en toute sécurité, à la culture, au développement et au parfait épanouissement de toutes nos merveilleuses et prodigieuses facultés reliées à l'art de la communication. Et qu'y a-t-il de plus agréable à côtoyer et à fréquenter qu'un être humain qui connaît et maîtrise au plus haut niveau l'art précieux de la communication?

En ce qui a trait à l'art de la communication, il ne faudrait jamais perdre de vue le fait que si Dieu nous a dotés d'une seule langue et de deux oreilles, c'est sans doute afin de nous faire bien comprendre qu'il importe d'écouter deux fois plus que nous parlons. L'humour mis à part, il serait déraisonnable de chercher à cultiver l'art précieux consistant à savoir parler aux gens si, parallèlement, nous ne nous appliquons pas à cultiver cet autre art, encore plus précieux, qu'est celui qui consiste à apprendre à BIEN ÉCOUTER LES AUTRES.

Il n'y a rien de plus frustrant pour une personne qui parle à quelqu'un et qui, tout à coup, réalise que ce même quelqu'un ne l'écoute pas, ou si oui, l'écoute d'une oreille distraite ou même indifférente. Ne pas se donner la peine de bien écouter les autres quand ils nous parlent, ou le fait de les écouter d'une manière distraite pourrait se traduire par un mot: Indifférence. Il n'y a rien de plus frustrant que de devoir subir l'indifférence d'autrui à notre égard. Et ce qui nous déplaît dérange sûrement aussi nos semblables, puisqu'ils sont en tous points identiques à nous personnellement. D'ailleurs, l'être humain a toujours très mal réagi à l'indifférence.

L'art précieux de la communication se développe donc dans deux aspects à la fois: premièrement, dans l'aspect de la parole émise de notre part; deuxièmement, dans l'aspect de l'écoute, toujours de notre part. Parler, écouter ensuite d'une manière attentive, voilà donc le champ tout à fait idéal dans lequel ne manque pas de se cultiver et se développer au plus haut point l'art précieux et fantastique de la communication.

Toutes sortes d'autres techniques secondaires, mais importantes, constituent pour ainsi dire l'engrais grâce auquel pourra encore mieux se développer l'art de la conversation. On pourrait par exemple mentionner l'importance de parler agréablement lorsqu'on s'adresse aux autres. Crier n'a pas d'autre effet que d'effrayer puis de paralyser l'action et la bonne volonté chez autrui. Le foyer n'étant pas un camp d'entraînement militaire, mais une cellule familiale, il importe donc de toujours parler doucement à nos proches. Enfin, le fait aussi de parler gentiment, calmement, et franchement constitue un autre jalon important dans le processus menant directement à la culture de l'art précieux de la conversation.

Parler en temps opportun constitue un autre principe essentiel auquel il importe de souscrire pour pouvoir parvenir à la saine croissance de l'art de la communication. Toute parole dite en son temps a toujours plus d'efficacité qu'une parole inopportune. Chercher à entretenir les autres d'un sujet qui ne les intéresse pas dans le moment présent, c'est comme essayer de caresser les oreilles d'un gros chien quand il est enragé.

La discrétion dans la conversation constitue un autre engrais de grande valeur pouvant contribuer au mieux à la croissance de l'art de la communication. Le bavardage, la calomnie, la médisance n'ont absolument pas leur place à l'intérieur du processus de la communication. D'ailleurs, tout le monde est fort bien au courant du fait prouvé que quiconque bavarde à nos oreilles contre une tierce personne ne manquera certainement pas de bavarder contre notre propre personne à la prochaine paire d'oreilles qui se trouveront à la portée de sa langue de vipère. Il convient de ne jamais sous-estimer le fait que toutes les personnes bavardes sont fuies comme la peste, du moins par les êtres intelligents qui tiennent à améliorer au plus haut point leurs précieuses facultés de communication.

La COMPRÉHENSION constitue un autre ingrédient précieux de la merveilleuse recette qu'il convient d'utiliser pour parvenir à la construction d'une cellule familiale qui soit à la fois saine, harmonieuse et génératrice de paix et de bonheur de vivre.

Vu le fait que notre société actuelle ressemble plus à une jungle qu'à une authentique assemblée de frères et de soeurs unis, il serait pas mal déraisonnable de s'attendre d'être parfaitement compris de la part d'un tel monde qui est sans cesse en proie à la haine, en course constante contre la compétition, s'adonnant

121

aux conflits de tous genres, et à combien d'autres malheurs encore. En effet, le fait est incontestable que notre société actuelle est pas mal plus génératrice de tensions et de stress que de calme, d'harmonie, de paix et de joie de vivre. Insister pour être parfaitement compris des autres, dans un tel encadrement de société, c'est se transpercer de beaucoup de douleurs morales et affectives.

Cependant, qu'on en soit conscient ou pas, l'être humain de notre temps a toujours un impérieux besoin de compréhension de la part de ses semblables. Qui que nous soyons, nous avons tous une soif intense de compréhension; et si cette soif n'est pas suffisamment, voire raisonnablement étanchée en nous, nous courons alors le risque de sombrer dans le désarroi affectif et la perturbation mentale. Il n'existe absolument personne sur cette terre qui soit suffisamment constitué, affectivement, mentalement, moralement et même physiquement pour pouvoir se passer de la compréhension des autres à son égard. Le besoin d'être raisonnablement compris des autres constitue un besoin secondaire chez l'être humain; et tel besoin, s'il n'est satisfait, peut engendrer des répercussions dévastatrices pour toutes les facettes de l'humain.

Est-ce sans raison si tant d'êtres, à notre époque, s'adonnent à la violence, à la criminalité, à la drogue, ou vont jusqu'à se faire violence eux-mêmes en s'adonnant au suicide? Il convient de savoir que la plupart de ces êtres, sinon tous, souffrent du mal qui est très répandu à notre époque, c'est-à-dire le manque de COMPRÉHENSION.

Donc, si, d'une part, l'être humain que l'on est a une soif presqu'insatiable de compréhension, et si, d'autre part, il nous est pratiquement impossible d'étancher telle soif au sein de la société humaine actuelle, il ne reste pas d'autre alternative que de combler tel besoin humain à l'intérieur même de notre propre cellule familiale.

Le fait de cultiver l'art de la compréhension au sein du foyer contribue au plus haut point à la formation de meilleurs citoyens. Les êtres qui ont le sentiment d'être bien compris au sein de leur foyer ne ressentent absolument pas le besoin de se «défouler» dans la violence, la criminalité, la drogue, voire l'irresponsabilité à chaque fois qu'ils se sentent protégés par l'incognito de la société. Mais lorsque l'incompréhension croît comme la mauvaise herbe dans le cadre de la cellule familiale, c'est toute la société des humains qui est en train de se corrompre et de se désagréger.

Avez-vous remarqué que même les plantes ont besoin de compréhension? Le fait est bien connu depuis longtemps que plus une personne prend soin de ses plantes, plus elles deviennent belles, saines et vigoureuses. On affirme même que les plantes se développent au rythme du climat moral et affectif prévalant au sein du foyer.

123

Le même phénomène peut aussi s'observer chez les animaux. Les bêtes domestiques sont aussi sensibles à l'affection et à la compréhension que le sont les êtres humains. Un chien qui est traité à coups de pied par ses maîtres se transformera vite en bête dangereuse pour le voisinage. Par contre, un chien vivant dans une ambiance d'affection et de compréhension sera toujours une source de grande joie et de plaisir pour tous les enfants du voisinage.

Si le fait est clairement reconnu que les plantes et les animaux, pourtant dépourvus d'intelligence et de qualités morales, sont sensibles à certaines marques de compréhension, alors que dire de l'être humain? Il est absolument certain que le Dieu d'amour, d'affection et de compréhension qui nous a créés, nous êtres humains, à son image et à sa ressemblance, s'attendait à ce que, tous ensemble, et surtout à l'intérieur de la cellule familiale, nous satisfassions au plus haut niveau notre besoin intense de compréhension mutuelle et de chaleur humaine.

Que dire maintenant de la MISÉRICORDE? Etant tous très imparfaits, et étant donné qu'il semble nous falloir énormément de temps pour tendre à la perfection, il ne nous reste plus alors qu'une seule issue à prendre si nous tenons à ce que nos relations familiales soient quelque peu supportables. Cette voie à emprunter n'est pas autre que celle qui a pour nom Miséricorde. Sans le précieux concours de la miséricorde, les relations familiales en particulier, et sociales en général, ne tarderaient pas à devenir intolérables vu le fait que nous commettons tant d'erreurs de toutes sortes.

Il ne faut jamais perdre de vue le fait que quiconque exige la perfection de la part des autres se doit d'abord d'être parfait soi-même. Et quel être humain pourrait avoir la prétention d'affirmer qu'il est parfait, ou qu'il ne commet jamais d'erreurs? Bien malin serait celui, ou celle qui aurait le courage de se présenter debout devant ses frères et soeurs les humains avec en mains la prétention de la perfection.

Que c'est donc agréable et stimulant de vivre au sein d'un foyer dans lequel prédomine une saine ambiance de miséricorde et de pardon authentique! Mais que c'est triste, déprimant et décourageant de végéter dans un semblant de foyer où dominent en maîtresses la haine et la rancune.

Oui, le manque de miséricorde engendre la rancune; de son côté, la rancune enfante la haine; enfin, la haine, elle, produit irrémédiablement une espèce de bâtarde qui a pour nom Désunion.

Par contre, la douce miséricorde engendre le pardon authentique; de son côté, le pardon donne naissance à la joie; enfin, la joie, elle, produit une pléiade de rejetons connus par des noms aussi positifs et encourageants que Bonheur de vivre, Paix familiale, Harmonie, Unité, Confiance, Joie, Bonté, etc, etc.

Bien entendu, il serait insensé de faire preuve de

miséricorde sans s'occuper à la fois d'apporter une solution pratique à un quelconque problème d'imperfection. Par exemple, s'il est approprié de démontrer de la miséricorde à l'égard de votre petit garçon qui vient de casser sa cinquième vitre en moins de deux jours, ce ne serait certainement pas rendre service à votre rejeton que de le laisser agir à sa guise sans aucune discipline. Une telle négligence de votre part serait sûrement catastrophique pour votre cher enfant, car, un jour ou l'autre, la vie elle-même, par l'intermédiaire d'autres personnes, se chargerait probablement de le ramener à la raison, ceci sans égard envers ses sentiments d'enfant gâté.

Donc, lorsqu'un problème surgit au sein du foyer, un peu à l'exemple de celui venant d'être illustré précédemment, il convient de s'appliquer à corriger la situation dans une ambiance de bonne volonté, en ayant à l'esprit le désir sincère de préserver à tout prix la paix et l'harmonie du foyer. Il importe donc d'aborder le sujet et de le solutionner de telle manière que le fautif puisse être amené à prendre bien conscience de sa mauvaise attitude à l'égard de ses intimes. Enfin, dès l'instant ou la discipline semble produire son effet, il convient d'aider le coupable à réparer au mieux l'objet de sa méprise, et finalement de bien couvrir l'affaire d'une épaisse couche de miséricorde.

La SOUPLESSE est un autre excellent ingrédient faisant partie de la recette servant à la fabricaiton de ce délicieux gâteau nommé Bonheur familial.

Connaissez-vous l'histoire du majestueux chêne et du frêle roseau qui habitaient côte à côte sur le flanc d'une montagne? Le glorieux chêne avait la réputation de ne jamais céder lorsqu'il discutait avec le frêle roseau. Mais le pauvre roseau, frêle et bien minuscule comparé à son énorme voisin, était forcé de céder constamment. Le roseau avait beau supplier, se lamenter, pleurer, il ne parvenait jamais à avoir le dernier mot, ni à avoir raison en quoi que ce soit lorsqu'il avait une conversation avec Sa Majesté le chêne.

Ainsi, le malheureux roseau n'avait pas d'autre alternative que celle consistant à gémir dans sa misère, planté à côté de l'orgueilleux chêne qui ne se gênait nullement pour profiter égoïstement de sa position de force afin de dominer à satiété son frêle compagnon.

Mais un beau jour, un vent violent est venu s'abattre sur ce flanc précis de la montagne. Le roseau, qui était bien entraîné à céder, n'éprouva aucune difficulté à plier sous le vent, ce qui lui sauva en fin de compte la vie. Par contre, les choses ne tournèrent pas aussi bien pour Sa Majesté le chêne. Habitué à dominer et à avoir le dernier mot en tout, il s'est donc obstiné à vouloir tenir tête au vent, obligeant ce dernier à souffler de plus en plus fort. C'est justement son obstination qui perdit le chêne. Soudain, suite à un super coup de la part du vent, l'orgueilleux chêne cassa net, et, dans un énorme fracas, alla s'écraser aux pieds du frêle roseau, lequel était toujours en vie.

Il s'agit là d'une histoire qui ne manque pas de nous

remémorer le sage proverbe qui atteste qu'«Il vaut mieux être un chien vivant plutôt qu'un lion mort».

Voilà le triste sort qui attend tous ceux et celles qui refusent de pratiquer la souplesse. Bien que les êtres orgueilleux et dominateurs puissent avoir le pouvoir de dominer leurs intimes durant une certaine période de temps, il ne faut jamais perdre de vue le fait que, tôt ou tard, de tels individus rudes et obstinés ne manqueront certainement pas de rencontrer chaussure à leur pied.

J'ai connu un jour un mari, genre «Sa Majesté le chêne», qui, profitant de sa position de mari, donc de force, ne se gênait pas pour frapper sa pauvre femme à chaque fois qu'il entrait ivre à la maison. A chaque fois qu'il avait quelques verres d'alcool dans le museau, cet énergumène avait la mauvaise manie de se mettre en colère à propos de tout et de rien. Aussi, dans son état d'ivresse, il en profitait pour se défouler sur les personnes de son entourage. C'est donc sa malheureuse épouse qui, n'ayant pas le choix, devait subir les mauvais traitements émanant du «chêne» en question.

Mais un beau jour, cet homme s'enivra dans un bar. Une fois ivre, comme il avait l'habitude de le faire, il chercha querelle à un autre habitué du bar. Le lendemain, aux petites heures du matin, les éboueurs municipaux trouvèrent, parmi un amas de détritus, le cadavre de notre homme. Voilà ce qui est finalement arrivé à une sorte de chêne qui ne se gênait pas pour déverser le fiel de sa colère sur les êtres frêles ayant le malheur de vivre dans son entourage.

La souplesse est à l'esprit ce que la prestance est au corps. Un corps souple est beaucoup plus facile à manoeuvrer qu'un corps empâté. De même, il est infiniment plus aisé et agréable de s'entendre avec une personne ayant un esprit et une personnalité souples qu'avec quelqu'un qui, contrairement, n'en finit pas d'insister sur «ses» droits et qui n'en finit pas d'insister pour avoir le dernier mot en tout.

Par exemple, vous êtes assis devant l'appareil de télévision et votre programme favori va débuter dans quelques instants. Tout à coup, un autre membre de la famille fait son entrée dans le salon et vous fait part de son envie de regarder lui aussi son émission préférée, mais qui va se dérouler sur une autre chaîne. Voilà donc une excellente opportunité de mettre votre souplesse à l'épreuve.

La souplesse est l'art consistant à savoir céder le passage à quelqu'un d'autre, que ce soit physiquement, mentalement ou affectivement, ou encore en paroles. Grâce à ce merveilleux fruit qu'est la souplesse, il est toujours possible, voire plus facile de bien s'entendre avec tous les autres membres composant notre cellule familiale, qu'il s'agisse de nos enfants, nos parents, nos frères ou soeurs, ou encore notre conjoint.

Il importe de toujours garder bien présent à l'esprit

que pour ce qui est de la souplesse, il est pas mal plus intéressant et avantageux d'être un roseau pensant qu'un majestueux chêne inconscient et sans vie.

On pourrait aussi citer l'HUMOUR en guise de prochain ingrédient important pouvant composer la précieuse recette du bonheur familial. Bien entendu, quand je parle d'humour, je ne fais pas allusion à cette sorte d'attitude indifférente que semblent manifester la plupart des individus qui ne prennent pas la vie ni leurs responsabilités humaines fondamentales à coeur ni au sérieux.

Par humour, j'entends plutôt cette précieuse faculté qui consiste à savoir prendre un couteau par son manche plutôt que par sa lame, c'est-à-dire par son côté le moins dangereux et le plus pratique.

L'humour constitue, à n'en pas douter, le champ par excellence dans lequel se développent merveilleusement bien toutes les facultés mentales positives de l'être humain. La personne intelligente qui cultive l'art de se revêtir de l'humour s'immunise du même coup contre pas mal de microbes mentaux et affectifs.

Ainsi, la personne vêtue d'humour saura aborder tout genre de problème, conjugal ou familial, par son côté le moins dangereux et le plus positif, soit par le manche plutôt que par la lame. De plus, la personne qui apprend à se doter de la bonne attitude de l'humour n'aura aucune difficulté à rire d'elle-même, donc à ne pas se prendre trop au sérieux. Voilà seulement quelques-uns des avantages que peut espérer récolter l'être doté d'humour sain et positif.

Cultiver la bonne habitude de l'humour a toujours le don d'immuniser l'être humain contre le flot de perturbations et dépressions qui ne manquent pas de s'abattre et d'envahir tous ceux et celles qui se prennent un peu trop au sérieux. S'il importe de prendre la vie à coeur et ses responsabilités au sérieux, n'empêche qu'il est toujours néfaste de se prendre trop au sérieux soi-même.

Grâce au merveilleux don de l'humour, une personne n'aura aucune difficulté à se moquer de ses propres imperfections physiques; ce qui, en compensation, ne manquera pas de l'aider à mettre ses nombreux autres avantages personnels en évidence, que tels atouts soient physiques, mentaux, affectifs ou spirituels. Par contre, la personne qui se prend trop au sérieux a toujours beaucoup de difficultés à minimiser ses désavantages, surtout ceux qui sont physiques et donc plus évidents. Et, à force d'être «bloquée» sur ce qui lui fait défaut, lui manque ou la désavantage, la personne manquant d'humour parviendra difficilement à mettre en valeur les innombrables autres facettes positives pouvant avantager son être. Donc, le fait de se doter d'une certaine dose d'humour nous permet d'accepter, voire d'oublier nos quelques réalités désavantageuses, et nous évite ainsi de gaspiller un temps précieux à rêver à tout ce qui nous manque.

Etant le moindrement dotée d'humour, une per-

131

sonne aura beaucoup plus de facilité à ne pas s'arrêter sur ce que les autres pensent et semblent dire d'elle.
Ainsi, plutôt que de s'exposer à un dangereux blocage affectif, voire mental, la personne quelque peu
humoristique ne courra donc pas le risque de sombrer dans la dépression affective et mentale à chaque
fois que les autres oseront ouvrir la bouche en sa
présence.

La personne qui prend trop à coeur ce que les
autres pensent ou disent à son sujet court le risque
d'handicaper sérieusement ses relations avec autrui,
avec les membres de sa famille d'abord et avec les
membres de la société en général ensuite. De tout ce
que les autres pensent et disent de nous, il importe
de toujours bien se pénétrer du fait que nous ne sommes pas toujours responsables des pensées, des paroles, ou des sentiments d'autrui à notre égard. De plus,
il ne nous faut jamais oublier le fait tout à fait éprouvé
qu'en ce monde, il n'y a pas d'êtres, absolument
aucun, qui puisse se vanter d'être parfait, que ce soit
en pensée, en parole, en action, ou encore en
sentiments.

Si ce que les autres pensent et disent de vous a le
don détestable de vous affecter, alors dites-vous bien
qu'aucun être humain actuel habitant sur la planète
Terre ne peut se prétendre être inspiré par Dieu.
Enfin, de tout ce que les autres pensent ou disent à
propos de vous, dites-vous bien que les pensées et
les jugements des gens ne sont pas toujours le reflet
exact de la réalité.

Bien sûr, il y a du vrai dans ce que les gens pensent et disent. Cependant, on parvient à s'immuniser contre pas mal de maux inutiles et nuisibles quand on apprend à ne retenir des autres uniquement ce qui est édifiant, stimulant et constructif, ou encore utile à notre redressement moral, affectif, physique ou spirituel. Il importe de bien comprendre qu'à part Dieu lui-même, peu d'êtres seraient tout à fait capables de bien nous juger, bien nous comprendre, étant donné que ces résultats ne peuvent être possibles qu'en étant capable de percevoir une personne dans tout son entier, c'est-à-dire globalement.

Un sage humoriste a déjà mentionné que la faculté de l'humour nous avait été donnée afin de nous permettre de nous consoler de ce que nous sommes, et aussi pour nous aider à imaginer ce que nous aimerions être. Pensez donc à ce point la prochaine fois que vous aurez un certain problème avec vous-même en rapport avec l'humour.

Il serait aussi approprié d'ajouter que le RESPECT DES AUTRES constitue assurément un autre atout précieux pour la production du bonheur de vivre au sein du foyer. Il importe de ne jamais perdre de vue le fait qu'en règle générale, l'être humain que nous sommes est constamment enclin à mépriser, ou à manquer de respect à l'égard de ses intimes.

En effet, combien de fois voit-on des maris se montrer galants à l'égard des femmes étrangères alors qu'ils manquent tout à fait d'égard vis-à-vis leur propre

133

femme? Et le même mépris prévaut aussi pour certaines épouses, certains enfants et même des parents.

Cultiver l'art consistant à ne jamais cesser de considérer les membres de notre famille comme des êtres
humains à part entière, et toujours nous appliquer à
les traiter comme nous aimerions nous-mêmes être
traité personnellement, voilà une excellente façon de
cultiver, et enfin se doter d'une attitude respectueuse
à l'égard de tous nos intimes.

En résumé, lorsque tous ces excellents ingrédients,
soit la COMMUNICATION, la COMPRÉHENSION,
la MISÉRICORDE, la SOUPLESSE, et l'HUMOUR
se trouvent tous ensemble mélangés dans une base
de RESPECT D'AUTRUI, le résultat alors produit par
un tel mélange ne peut pas faire autrement que de
produire un plat appétissant et fortifiant qui se nomme,
autant à la table familiale que sociale, «BONHEUR
DE VIVRE».

CHAPITRE 8

La gratitude est l'engrais vital du bonheur

Un tout petit mot, MERCI, a infiniment plus de puissance que toutes les armes de la planète réunies. Si ce simple mot a le don prodigieux de nous allier les gens, n'empêche que c'est au niveau de notre propre coeur qu'il accomplit des prodiges. MERCI est un passe-partout tout simplement magique. Il réconforte ceux qui le reçoivent, sans nullement appauvrir ceux qui le donnent. Il motive davantage ceux qui le cueillent tout en réchauffant le coeur de ceux qui le sèment. Oui, MERCI est probablement le mot le plus fantastique qui puisse être renfermé dans tous les dictionnaires du monde.

Un jour, j'eus l'occasion de rendre un petit service à une connaissance de notre famille. Deux semaines plus tard, alors que j'avais déjà oublié l'affaire, j'aperçus à travers mon courrier une toute petite enveloppe. Je l'ouvris, et, à l'intérieur, je trouvai une toute petite

carte sur laquelle était imprimé en belles grosses lettres dorées le mot «MERCI». A l'endos de la carte,
il y avait le nom de la personne à qui j'avais rendu
le service en question. Eh bien, malgré le fait que cette
expérience puisse remonter à une quinzaine d'années,
je l'ai encore fraîche à l'esprit comme si elle venait de
se produire. Le service en question devait être insi-
gnifiant puisque je ne m'en souviens plus. Cependant,
je ne suis pas prêt d'oublier la gentille marque de gratitude de la personne concernée.

Comme je l'ai déjà mentionné dans un autre chapitre, j'ai connu l'an dernier l'expérience de subir une
délicate intervention chirurgicale au cerveau. Etant très
satisfait des résultats ainsi que de l'excellent travail
accompli par le chirurgien qui m'a opéré, je me suis
empressé, dès mon retour à la maison, d'envoyer une
petite carte de remerciement à ce dernier.

Environ un mois plus tard, je me rendais à l'hôpital pour un examen de routine. Dès que le chirurgien
m'aperçut dans son bureau, la première parole qu'il
m'adressa fut de me remercier chaleureusement pour
la petite carte que je lui avais envoyée un mois auparavant. Le docteur me mentionna qu'en vingt ans de
pratique de chirurgie au cerveau, c'était très rare que
des patients lui envoient ainsi une carte témoignant
d'une certaine marque de gratitude.

Le chirurgien me mentionna que le seul fait d'avoir
reçu une carte de remerciement avait beaucoup plus
de valeur à ses yeux que le chèque qu'il allait tou-

cher de la régie de l'Assurance-maladie du Québec. Vous voyez, même un chirurgien peut se montrer sensible à un simple MERCI.

Il n'y a pas tellement longtemps, ma femme et moi étions de passage dans la magnifique petite ville de Belleville, en Ontario. Le soir venu, nous décidâmes d'aller prendre un lunch au restaurant Wendy's de la localité. Dès notre arrivée à la caisse, la caissière nous aborda avec un sourire radieux, tout en nous souhaitant une chaleureuse bienvenue. Elle ajouta même qu'elle était très contente de nous voir dans son restaurant. Après le repas, alors que nous passions tout près du comptoir, la même caissière, toujours souriante, nous remercia gentiment de les avoir honorés de notre aimable clientèle, et nous souhaita une belle randonnée. Comment pourrions-nous oublier une telle marque de gratitude? Bien sûr, nous ne manquerons pas d'arrêter chez Wendy's la prochaine fois que nous repasserons à Belleville.

Il y a quelques années, nous sommes allés passer quelques semaines en Floride. Une fois de retour à la maison, nous reçumes, une couple de semaines plus tard, une jolie carte postale adressée à notre nom. La carte nous avait été envoyée par les propriétaires du motel où nous avions demeuré durant notre séjour à Daytona. A l'endos de la carte, il y avait un bref message qui se résumait à peu près ainsi: «Nous vous remercions très sincèrement de nous avoir honorés de votre charmante visite chez nous. Nous espérons que vous avez fait un bon et agréable voyage de retour. Nous aimerions bien être honorés de votre agréable compagnie si jamais vous revenez à Daytona. Portez-vous bien!» Comment aurait-on pu ne pas retourner dans un tel endroit aussi accueillant?

Le pouvoir de la gratitude est tout simplement prodigieux. La gratitude, qui se traduit généralement par un tout petit mot, MERCI, constitue en quelque sorte le passe-partout magique ayant le don d'ouvrir toutes grandes les portes du coeur ainsi que celles de l'amitié.

Je me souviens qu'un jour, alors que j'étais représentant pour une importante biscuiterie, je cherchais à tout prix à faire lister nos produits dans les divers magasins d'une petite chaîne alimentaire de la région de Québec. Un jour, après plusieurs tentatives infructueuses, je réussis enfin à obtenir un rendez-vous avec l'acheteur de la chaîne concernée. Après un bref entretien de moins de dix minutes avec l'acheteur en question, il s'empressa de me reconduire poliment vers la sortie tout en me marmonnant qu'il allait réfléchir à l'affaire et me téléphoner si jamais ils décidaient de lister nos produits dans leurs magasins.

Ce même jour, dès mon retour au bureau, je m'empressai de rédiger une courte lettre et de l'envoyer à l'acheteur. Dans ma lettre, je mentionnai à cet homme jusqu'à quel point j'étais reconnaissant pour le temps qu'il m'avait consacré en acceptant de me recevoir malgré la somme énorme de travail qu'il avait à accomplir. J'ajoutai aussi qu'advenant sa décision défavorable à l'égard de nos produits, je comprendrais très bien la situation. Et, à la fin de ma missive, je rédigeai les mots suivants: «Je tiens tout particulièrement à vous féliciter pour les magnifiques tableaux qui parent si bien les murs de votre bureau. C'est là un indice certain de la haute qualité de votre goût à l'égard des belles choses.» Je signai mon nom et envoyai le tout au directeur des achats de ladite chaîne alimentaire.

Eh bien, moins d'une semaine plus tard, un message m'attendait à mon retour au bureau. C'était mon acheteur qui m'avait rappelé pour me dire de passer le voir sans faute le plus tôt possible. Il avait pris la décision de lister une bonne douzaine de nos produits, ceci dans tous les magasins de sa chaîne.

Le jour où je me suis rendu dans le premier magasin de la chaîne pour faire un étalage de la première livraison et ainsi déterminer l'espace où seraient dorénavant placés nos biscuits, j'eus l'agréable surprise de voir l'acheteur en personne qui m'attendait. Il avait pris la peine de se déplacer pour venir m'aider à bien étaler, et surtout bien mettre nos produits en évidence dans le magasin. Bien plus, grâce à un peu d'ingéniosité de ma part, et grâce surtout au précieux concours de l'acheteur de la chaîne, j'ai pu ajouter quelques autres lignes de nos délicieux biscuits.

J'ai toujours été persuadé que si cette affaire de biscuits avait bien tourné, la source de ce succès devait probablement se trouver à l'intérieur de la petite lettre que j'avais pris le soin de faire parvenir à l'acheteur en question.

Au fait, comment vous êtes-vous senti la fois où, après avoir rendu service à quelqu'un, vous avez constaté que cette même personne n'avait même pas pris la peine de vous dire un simple «Merci»?

La chose m'est déjà arrivée à quelques reprises dans ma vie, et laissez-moi vous dire que malgré le fait que j'aie toujours éprouvé du plaisir à rendre service aux gens, chaque service non couronné d'un simple «Merci» m'a toujours laissé un souvenir amer au coeur.

Il semble que l'ingratitude soit une sorte de poison affectif qui a le don d'empoisonner le geste d'une bonne action.

Vous est-il déjà arrivé de recevoir une petite poussière dans un oeil? C'est agaçant, n'est-ce pas? Pour un instant, imaginez que vous êtes en train de déguster un succulent plat de votre choix dans le restaurant que vous appréciez le plus. Soudain, entre deux bouchées, vous réalisez qu'une toute petite poussière vient tout juste de se loger dans votre oeil gauche. Vous commencez à frotter votre oeil jusqu'au moment où, très agacé, vous êtes forcé de vous lever de table pour vous rendre à la salle des toilettes. Trente minutes plus tard, vous revenez vous asseoir à votre table. Votre pauvre oeil est presqu'enflé, et votre délicieux repas, lui, n'est plus mangeable tellement il est froid. Voilà:

une toute petite poussière a eu le don de gâcher votre petit festin.

En soi, la poussière n'était pas dangereuse. Cependant, malgré sa taille minuscule, elle a quand même eu le don de gâcher votre joie. Ainsi en est-il de l'ingratitude. En soi, l'ingratitude ne constitue pas un danger pour la santé. Cependant, elle a toujours le don de gâcher la joie de donner que peut ressentir l'être qui a accompli un acte de générosité.

Si la gratitude a le don prodigieux de contribuer à la création de nouvelles et solides amitiés, l'ingratitude elle aussi a un don, tout aussi prodigieux; c'est-à-dire celui de démolir les meilleures amitiés et ainsi handicaper au plus haut point l'ensemble des facettes du monde merveilleux des relations humaines.

On pourrait comparer la gratitude à un engrais de très haute qualité. Et, tel un engrais, elle contribue au plus haut degré à la germination et à la croissance des amitiés et des relations les plus prometteuses et positives qui soient. Ainsi, se doter de cet atout précieux qu'est la gratitude, c'est se placer en position de joie de vivre et à la cueillette d'innombrables petits bonheurs insoupçonnés.

Aucun être humain n'est insensible à la gratitude qu'il mérite de recevoir de la part de ses semblables. Refuser obstinément de payer sous forme de gratitude les services que les autres peuvent nous rendre, c'est nous exposer à la plus sordide solitude. Jésus lui-même, bien que parfait, s'est indigné lorsque neuf des dix lépreux qu'il venait de guérir miraculeusement se sont montrés ingrats à son égard en ne prenant même pas la peine d'aller le remercier pour tout ce qu'il venait d'accomplir pour eux. Un seul parmi les dix lépreux eut le coeur de démontrer un peu de gratitude, ce qui toucha profondément le Sauveur.

Si un être aussi parfait, doux et humble que Jésus s'est montré contrarié par l'ingratitude des gens à son égard, et s'est ému suite à un peu de gratitude, on peut facilement imaginer quels effets l'ingratitude et la gratitude peuvent avoir sur nous, êtres passablement imparfaits.

Le problème avec l'ingratitude, c'est qu'elle incite un individu à se bloquer égoïstement sur ce qui lui manque au lieu d'apprécier tout ce qu'il reçoit des autres. En effet, la personne ingrate exige tout des autres, mais elle n'est disposée d'aucune façon à faire quoi que ce soit pour ses semblables, même pas leur dire un simple «Merci» lorsque ceux-ci se montrent sensibles et généreux à son égard. Egoïste, l'être ingrat se replie donc sur lui-même, ce qui le rend graduellement insensible à tout ce qui se passe autour de lui. Enfin, de là à sombrer dans la solitude et le profond mal de vivre qui ronge comme un cancer tous les ingrats de notre planète, il n'y a qu'un pas.

Apprendre à dire MERCI constitue en soi un art précieux ainsi qu'un maillon indispensable de la chaîne pouvant nous relier au délicieux bonheur de vivre.

142

Mais il devient possible de cultiver, puis de développer au plus haut point l'art merveilleux de la gratitude seulement lorsqu'enfin nous nous attelons à la tâche consistant à savoir APPRÉCIER à leur juste valeur les innombrables dons inestimables que nous recevons quotidiennement de la vie en général et des êtres qui nous entourent en particulier.

Ce ne sont pas les occasions d'apprécier qui manquent. Il suffit simplement d'ouvrir quelque peu les yeux pour vite constater qu'elles sont légion tout autour de nous. Par exemple, il y a le don de la vie qui constitue en soi la plus grande raison qui soit de démontrer de la gratitude à l'égard de l'Auteur même de la merveilleuse vie. Vient ensuite notre propre organisme, sans oublier nos nombreuses facultés mentales, affectives, morales, intellectuelles et spirituelles. Que dire de nos sens, par le moyen desquels nous sommes à même de voir, de sentir, de communiquer, entendre, goûter, toucher!

Il va sans dire que le don de nous marier, transmettre la vie à d'autres êtres, que nous aimerons et qui nous le rendrons en retour, est sans contredit une autre puissante et stimulante raison d'appréciation qui se trouve à notre portée.

Dans quelqu'endroit que vous puissiez habiter, vous n'avez qu'à ouvrir les yeux de votre coeur et remarquer ce qui se passe tout autour de vous. Ce faisant, vous ne manquerez certainement pas de réaliser que ce ne sont pas les occasions de démontrer de la gratitude qui manquent. Les policiers, les pompiers, les enseignants et enseignantes, les employés municipaux, les facteurs, les pharmaciens, les infirmiers et infirmières, les médecins, les employés de la construction, les caissières, les épiciers, les électriciens, les garagistes, les mécaniciens, ce ne sont là que quelques-uns des groupes de personnes humaines qui consacrent une importante partie de leur existence à rendre aux autres d'innombrables services de tous genres. Tous ces gens ne mériteraient-ils pas quelques marques d'attention et de gratitude de notre part?

Bien sûr, tous ces travailleurs sont dédommagés en argent pour le travail qu'ils accomplissent. Mais n'empêche que si ces personnes ont choisi de s'activer dans un genre d'emploi plutôt que dans un autre, c'est souvent plus à cause de leur haut degré de générosité et d'amour à l'égard de leurs semblables que pour le simple fait d'encaisser un chèque de paie hebdomadaire.

Il convient de comprendre que la plupart des employés qui s'activent à longueur d'année dans les hôpitaux pourraient fort bien changer d'emploi s'ils le voulaient. Pour un instant, essayons d'imaginer ce qui risquerait de nous arriver si, subitement, tous les médecins et chirurgiens, tous les infirmiers et infirmières, ainsi que tous les autres employés des hôpitaux se mettaient à changer d'emploi. Qui s'occuperait alors de nos nombreux problèmes de santé? Comment se fait-il que des gens aient choisi de se faire médecin, infirmière, alors que nous n'avons pas jugé bon de nous impliquer dans de tels emplois, nous? Tous ces gens ne mériteraient-ils pas un minimum de gratitude de notre part?

Dire un chaleureux MERCI à la caissière du marché d'alimentation qui passe de longues heures à sa caisse, et qui n'en finit pas de calculer nos mille et une petites gâteries. Dire un chaleureux MERCI au facteur qui, jour après jour, beau temps mauvais temps, vient déposer religieusement notre courrier à notre porte. Dire un chaleureux MERCI à la dévouée garde-malade qui s'occupe soigneusement de nous durant notre séjour à l'hôpital. Dire un chaleureux MERCI à la gentille serveuse du Saint-Hubert qui n'a pas cessé un seul instant de se montrer aimable envers nous, et qui a comblé nos moindres caprices alors que ses cors aux pieds la font atrocement souffrir. Dire un chaleureux MERCI au garçon qui s'empresse de placer soigneusement notre grosse commande d'épicerie dans la valise de notre automobile. Enfin, dire un chaleureux MERCI au pompiste qui, à moins vingt degrés sous zéro, s'est empressé de nettoyer les vitres de notre auto alors qu'il n'est payé que pour verser de l'essence dans le réservoir.

Oui, combien d'autres occasions de dire un chaleureux MERCI se trouvent ainsi quotidiennement à notre portée! Un chaleureux MERCI, accompagné d'un sourire franc et authentique, a toujours le don presque miraculeux d'allumer une étincelle de réconfort, de joie de vivre et d'encouragement sur le visage dévoué qui se trouve à notre portée. Mais ce qu'il y a encore de plus merveilleux avec le mot MERCI, c'est de réaliser jusqu'à quel point il a le don d'envahir instantanément de «Bonheur de vivre» l'être au coeur sensible et généreux qui refuse absolument de ne vivre égoïstement que pour soi-même.

CHAPITRE 9

C'est la générosité qui fait croître

La générosité est, à n'en pas douter, une condition essentielle au bonheur de vivre. Il convient même d'affirmer que la générosité est l'une des forces qui a le pouvoir de contribuer le plus à la croissance de toutes les autres qualités se reliant de près ou de loin au bonheur de vivre.

On pourrait comparer la générosité à de l'argent qu'une personne prête à autrui avec un intérêt raisonnable. L'être généreux qui choisit de prêter une partie de ses économies à autrui, ou à la banque, a pas mal plus de chance de voir son capital s'accroître qu'une autre personne qui aurait choisi de conserver son argent dans la sécurité d'un bas de laine.

Celui qui ne prend aucun risque avec son argent

ne pourra jamais voir son capital s'accroître. Bien plus, à cause des effets négatifs de l'inflation, c'est plutôt vers la décroissance que s'orienteront ses économies. Par contre, la personne qui sait prendre des risques raisonnables et calculés avec son argent verra son avoir augmenter avec le temps.

Ainsi en est-il de la personne généreuse. L'être qui est généreux de son temps, de son argent, de ses biens, de ses paroles édifiantes et encourageantes, de ses actes de bonté et de miséricorde, de mille et une attentions à l'égard d'autrui, en somme de sa personne, tel être ne court pas le risque de voir son capital humain se détériorer, ou encore diminuer. Bien au contraire, c'est plutôt vers la croissance que se dirigera le capital personnalité de telle personne aux innombrables actes de générosité.

Considérons l'exemple d'un cultivateur qui, le printemps arrivé, s'empresse d'ensemencer ses champs en distribuant généreusement à la terre les quelques sacs de graines de semences dont il dispose. Un tel cultivateur court-il le risque de s'appauvrir du fait qu'il n'a pas hésité à distribuer libéralement des semences au sol fécond de la terre? Non, un tel homme pour ainsi dire généreux s'est appliqué «à donner» à la terre, et, en retour, celle-ci lui remboursera au centuple les merveilleux fruits de sa générosité une fois la saison des récoltes arrivée.

On pourrait comparer chacun de nos actes de géné-

148

rosité à de l'investissement dans les coffres du sol fécond de la vie. La vie est ainsi faite qu'elle a toujours le don merveilleux, et aussi le pouvoir de rétribuer au centuple l'être généreux qui a su sagement lui faire confiance.

J'ai déjà connu un homme qui, bien que marié à une épouse bonne et généreuse, ne voulait absolument pas s'«embarrasser» d'enfants, comme il disait. Aux yeux de cet homme avare de lui-même, les enfants n'étaient qu'une cause de problèmes et de dépenses bien inutiles. Lorsque j'ai revu cet homme, vers le soir de sa vie, il n'en finissait pas d'être triste et malheureux du fait de devoir subir une solitude qui lui était devenue insupportable. Sa femme étant décédée depuis un certain temps déjà, cet avare n'avait personne pour lui venir en aide, s'occuper de lui, l'aimer, l'écouter et le consoler au moment même où il avait le plus besoin de ces précieuses denrées du coeur. Vous voyez, la vie elle-même se chargeait de rétribuer à sa juste valeur l'avarice de quelqu'un qui avait choisi de se montrer égoïste à l'égard d'elle.

Par contre, j'ai aussi connu un couple merveilleux qui était tout à fait l'opposé de l'homme mentionné précédemment. Ce couple bon et généreux à l'égard de la vie n'a pas hésité à partager la vie avec une bonne dizaine d'enfants, ce qui n'a pas manqué de les enrichir au plus haut niveau. Lorsque les deux conjoints formant ce couple généreux furent arrivés vers le soir de leur vie, ils ne souffraient pas de pénuries

149

affectives d'aucune sorte. Ils ne manquaient pas de coeurs et de petits bras pour les secourir, les aimer, les gâter, les écouter, leur parler, en somme les aimer. Vous voyez, il s'agit là d'un exemple concret démontrant jusqu'à quel point la vie elle-même peut se charger de récompenser les êtres généreux qui lui font confiance, et qui n'hésitent nullement à partager ce qu'ils ont de plus cher avec elle.

La vie ne manque pas d'être remplie d'exemples visibles pour nous démontrer tous les avantages qu'il y a de notre part à nous montrer généreux. Qu'il s'agisse des règnes humain, animal, végétal ou marin, toute la création tend à nous convaincre de la nécessité de la générosité, ainsi que de l'abondante récolte de bonheur et de joie de vivre se trouvant tout à fait à la portée de nos mains et de notre coeur.

La vie est ainsi faite qu'elle va bien plus loin que nous rembourser au centuple le moindre acte généreux de notre part. En plus de nous rembourser abondamment en échange de tout ce que nous lui cédons, la vie est constituée de telle façon qu'elle a aussi le don de nous combler de bonheur du seul fait de nous montrer généreux. Quelqu'un de très important a même déjà dit un jour qu'il y avait infiniment plus de bonheur à donner qu'à recevoir. En effet, le fait est largement démontré que les personnes qui s'appliquent à donner de bon coeur et de bon gré sont pas mal plus heureuses de vivre que les autres qui passent leur temps à exiger et à recevoir égoïstement.

Considérons l'exemple d'une jeune maman qui vient tout juste de donner naissance à un magnifique bébé. Qui des deux, de la mère ou l'enfant, est le plus heureux à ce jour de la naissance? La maman, évidemment! Donc, il y a infiniment plus de bonheur à communiquer généreusement la vie à un autre être que d'exiger d'autrui qu'il donne sa vie pour nous. D'ailleurs, quelle maman au monde irait jusqu'à exiger que son petit enfant donne sa vie pour elle? Par contre, la plupart des mères du monde, sinon toutes, n'hésiteraient absolument pas à donner leur vie afin de permettre à leur enfant de conserver la sienne. Ne s'agit-il pas là d'un indice certain venant confirmer le fait qu'il y a infiniment plus de bonheur à donner qu'à recevoir?

Considérons, si vous le voulez bien, un autre exemple. Après avoir invité des gens à venir prendre un repas chez vous, vous consacrez de longues et laborieuses heures de votre temps afin de préparer un délicieux repas pour vos invités. Le grand jour arrivé, voilà que tout le monde se retrouve autour de votre table en train de se régaler à satiété de tous les délicieux petits plats qui se trouvent sur la table. Bien que la préparation de ce repas vous ait occasionné de nombreuses fatigues, n'éprouverez-vous pas une joie intense et indescriptible lorsqu'après le repas, tous vos invités n'en finiront pas de vous féliciter pour la délicieuse nourriture qu'ils ont été à même de savourer? La personne qui a versé des sueurs pour s'appliquer à préparer le repas récolte infiniment plus de joie, et de bonheur de vivre que tous les convives qui se sont régalés à satiété de tous les mets délicieux. Voilà un autre exemple concret venant confirmer le fait qu'il y a toujours plus de bonheur à donner qu'à recevoir.

Vous marchez sur un pont lorsque, soudain, vous entendez les cris d'un petit garçon qui est en train de se noyer dans la rivière qui coule sous le pont. Rassemblant tout votre courage, vous vous empressez de vous précipiter dans l'eau et, après avoir déployé de vigoureux efforts, vous sauvez finalement l'enfant et le ramenez sur la rive. Qui des deux, de vous ou de l'enfant qui était en train de se noyer, récoltera le plus de satisfaction et de joie de vivre? Bien que l'enfant sera sûrement heureux d'être toujours en vie, et que ses parents seraient également satisfaits de la tournure des événements, n'est-ce pas vous, le sauveteur, qui aurez le privilège et la joie de récolter le plus de félicitations de toutes parts, de compliments sincères, de louanges, voire même des décorations pour avoir accompli un tel acte de bravoure?

Donc, en plus de nous rembourser au centuple à chaque fois que nous accomplissons un acte de générosité de quelque sorte que ce soit, la vie ne manque jamais d'inonder de bonheur et de joie de vivre l'être qui s'est le moindrement montré généreux à son égard. Voilà la raison pour laquelle il convient d'affirmer que la pratique constante de la générosité est une condition essentielle à remplir de la part de quiconque veut à tout prix accroître son capital de joie et de bonheur de vivre.

Mais, vous demandez-vous peut-être, que peut-on donc donner à la vie? Et quels sont certains des actes de générosité de notre part que nous pouvons donner, sans nullement nous appauvrir, et qui, en retour, contribuent au plus haut point à réconforter les autres et nous enrichir intérieurement?

D'abord, il importe de garder présent à l'esprit que tous les êtres humains qui nous entourent font aussi partie de la vie. Donc, le fait de savoir nous montrer généreux à l'égard de nos semblables constitue en quelque sorte de l'investissement dans la grande banque de la vie. Mais avant de considérer de quelles manières nous pouvons nous montrer généreux à l'égard des autres, considérons l'un des éléments dont nous disposons et que nous pouvons investir à satiété dans les sillons du sol fécond de la vie.

Le temps dont chaque être humain dispose en partie égale constitue l'une des premières semences que nous sommes à même de céder à la vie, ceci dans la mesure de notre volonté. Ce qui signifie que si nous sommes disposés à investir une partie de notre temps afin de nous appliquer à l'acquisition d'une nouvelle connaissance, ou d'un métier pratique, la vie elle-même se chargera sûrement, tôt ou tard, de nous rembourser au centuple la moindre part de temps que nous aurons jugé sage d'investir en elle. Et, un beau jour, notre habileté à pratiquer un certain métier constituera la façon dont la vie s'y prendra dans le but de

153

nous persuader de sa grande justice et de sa merveilleuse générosité.

Que dire de la personne généreuse qui investit quotidiennement une seule heure de son temps dans la pratique d'une nouvelle langue? Il est bien certain qu'une telle personne généreuse ne manquera pas de récolter les heureux fruits de sa générosité une fois le temps de la récolte arrivé. Un beau jour, sans qu'elle ne s'en rende trop compte, cette même personne généreuse de son temps réalisera qu'elle est désormais dotée du privilège de pouvoir communiquer avec des gens parlant une autre langue; ce qui, bien entendu, contribuera à augmenter autant sa joie de vivre que son bagage de nouvelles connaissances pratiques de toutes sortes.

J'ai connu un jeune mari qui, au lieu de gaspiller son temps, s'était fixé comme objectif de consacrer une quinzaine d'heures chaque semaine à la construction d'une demeure familiale. Environ huit mois plus tard, quelle grande joie ont été à même de récolter les deux conjoints lorsqu'ils purent enfin emménager dans une nouvelle demeure confortable qui n'avait coûté qu'environ le tiers du prix courant à l'époque. Trois ans plus tard, le même couple eut le privilège de récolter une autre joie le jour où la banque leur remit la quittance à propos de l'emprunt que le mari avait contracté afin d'acheter des matériaux.

Oui, la vie est infiniment juste, et elle ne manque jamais de rembourser avec le plus grand sens de la justice quiconque a su y investir sagement la moindre heure de son temps. Pour ce qui est du temps, la vie s'avère être une banque d'une précision remarquable. Ses livres de compte, en rapport avec le temps, ne font jamais défaut. Investir une seule minute de notre temps quotidien dans la prodigieuse banque de la vie, c'est s'assurer une récolte du meilleur taux d'intérêt qui puisse exister.

Rendre service aux gens constitue une autre excellente façon d'investir dans le sol fécond de la vie. Les êtres qui savent se montrer généreux de leurs services à autrui ne manquent jamais d'être récompensés tôt ou tard, que ce soit sous forme de reconnaissance, de compagnie, d'amitié ou encore sous forme de services de tout genre.

Il y a tant d'occasions de rendre toutes sortes de petits services à nos semblables. Pour un adolescent, tel service prendra peut-être la forme d'une aide accordée à papa pour lui permettre de terminer la construction d'une clôture. Pour la jeune fille, le service rendu à l'épouse pourra se traduire par une généreuse contribution à la préparation du repas du soir, ou bien à laver la vaisselle, faire le repassage ou d'autres menus travaux du genre. Pour l'épouse, le service rendu au mari se traduira par la tonte de la pelouse, ou certains travaux extérieurs qui seraient grandement appréciés par l'époux.

Que ce soit entre voisins, au supermarché, sur la route, au restaurant, à l'école, au bureau, il y a tant d'occasions de rendre service aux autres qu'il faudrait être franchement égoïste pour ne pas les remarquer.

Quelle fut votre réaction la dernière fois qu'un voisin, ou une autre personne vous a approché afin de vous offrir son aide, sans que vous n'ayiez sollicité une telle aide? Ne sommes-nous pas tous sensibles aux petits services non sollicités que les autres peuvent nous rendre à l'occasion? Si ce sont là nos sentiments, alors pour quelle raison n'en serait-il pas ainsi pour autrui quand nous lui offrons notre aide?

Tous les êtres qui nous entourent sont absolument identiques à nous. La moindre attention de notre part a le don de les toucher profondément. Personne en ce monde n'est insensible à l'attention et à l'aide qu'il reçoit des autres. Qu'il s'agisse d'un pauvre, d'un riche, d'un homme, d'une femme, d'un blanc, d'un noir, d'un ministre, d'un pasteur, d'un criminel, d'une honnête personne, d'un vieillard, d'un enfant, tous sont profondément sensibles à la moindre marque d'attention provenant de la part d'autrui. Et ce qui prévaut pour un être humain en particulier est aussi valable pour la communauté des humains en général. Investir un tout petit service dans le coeur de notre prochain, c'est faire un excellent et très sage investissement dans la banque très féconde de la généreuse vie.

Le fait d'encourager les autres constitue une autre excellente façon d'investir dans la banque de la vie. Il importe de ne jamais perdre de vue le fait que pas mal de gens connaissent des conditions de vie qui sont parfois très pénibles à supporter. Et lorsque tout nous paraît noir, sans espoir de voir bientôt le bout du tunnel, la moindre parole de réconfort peut fort bien signifier la différence entre la défaite et une victoire, entre la tristesse et la joie de vivre.

Encore une fois, convient-il de le répéter, pour ce qui a trait aux encouragements, tous les êtres humains faisant partie de la grande famille humaine sont absolument identiques. Nous avons tous des hauts et des bas. Il nous arrive à tous de ressentir parfois le besoin de recevoir quelques mots de réconfort, de compréhension et d'encouragement de la part de nos semblables. Personne, absolument personne en ce monde ne peut se passer des autres sous ce rapport, ni n'est insensible aux paroles réconfortantes et consolantes qu'il peut recevoir de la part d'un coeur bon, compréhensif et généreux.

Les compliments sincères constituent, eux aussi, une autre forme d'investissement qu'il est toujours sage de pratiquer. Mais attention! En ce qui concerne les compliments, ils seront toujours les bienvenus et stimulants pour qui les reçoit à la stricte condition qu'ils soient sincères, honnêtes et mérités. La sorte de compliments dont il est ici question n'a absolument rien à voir avec la vile flatterie. La flatterie est toujours hypocrite, car elle est toujours émise dans le but exclusif d'arracher certains avantages en faveur de l'individu qui la sème. Par contre, les compliments sincères et mérités sont toujours les bienvenus et fortement appréciés par la personne méritante qui les reçoit. De tels compliments ont toujours le don de réconforter, d'encourager et de réjouir le coeur qui les cueille. Il s'agit donc là d'une autre forme de sage investissement à laquelle il ne faut jamais manquer de souscrire avec le plus de générosité possible.

En résumé, il convient de retenir de tout ce qui vient d'être mentionné que le Temps, les Services, les Encouragements et les Compliments sincères constituent d'excellentes façons d'investir dans la généreuse banque de la vie. L'être sage et généreux qui a l'intelligence de s'appliquer à la pratique de tels investissements judicieux n'a pas à craindre de se retrouver en quelque pénurie que ce soit dans le cours du futur de son existence.

Pratiquer de tels investissements dans les sillons du sol fécond de la vie, c'est pas mal plus rentable que le fait d'investir des dollars de papier-monnaie. Bien entendu, les dollars faits de papier peuvent nous rapporter des intérêts lorsqu'ils sont sagement investis; mais quel que soit le nombre de dollars que l'on puisse investir, ils n'auront jamais d'autre possibilité que celle de nous rapporter des intérêts formés de papier et d'encre.

Par contre, quand on investit du Temps, des Services, des Encouragements et des Compliments, c'est directement dans le coeur de nos frères et soeurs humains que nous investissons. Et étant donné le fait que tous les coeurs humains font partie intégrante de la merveilleuse vie, alors les intérêts rapportés par de tels placements de notre part nous parviendront sous forme d'estime, de gratitude, d'amitié, d'amour, de joie de vivre et de bonheur. N'est-il pas vrai que la récolte de tels intérêts est pas mal plus précieuse, encourageante, stimulante, édifiante, réconfortante, et réjouissante que tous les dollars en papier-monnaie du monde réunis?

En guise de conclusion, j'aimerais attirer votre attention sur une parole inestimable originant du plus grand Enseignant qui n'ait foulé le sol de notre planète, une parole formidable qui mériterait au plus haut point d'être affichée bien en vue dans chacun de nos foyers. Cette merveilleuse parole, la voici donc: «Appliquez-vous à donner, et l'on vous donnera. On versera dans votre giron une belle mesure, pressée, secouée et débordante. Car de la mesure dont vous mesurez on mesurera pour vous en retour!»

Il ne faut pas sous-estimer le fait que cette prodigieuse maxime fut prononcée par ce même Auteur qui, un beau jour, a proclamé bien haut qu'il y avait PLUS DE BONHEUR À DONNER QU'À RECEVOIR!

Chapitre 10

Savoir se fixer des objectifs réalistes

Vous souvenez-vous de la fable de la grenouille et du boeuf? Un jour, alors qu'une grenouille était en train d'observer un énorme boeuf, l'envie lui prit soudain de vouloir devenir aussi grosse que le boeuf. Aussi se mit-elle en frais d'aspirer de l'air afin de permettre à son ventre de gonfler. Elle aspira tant d'air et grossit tellement que bientôt son corps atteignit le triple de son volume normal. Elle continua d'aspirer de l'air et de grossir jusqu'au moment où, soudain, son gros ventre rempli de vent éclata et tous ses intestins s'éparpillèrent un peu partout. La malheureuse grenouille agonisa et finit par mourir à travers d'atroces souffrances.

Bien qu'il s'agisse d'une fable, il arrive cependant que des personnes finissent par adopter un comportement de grenouille orgueilleuse. C'est-à-dire qu'il y a pas mal de gens qui envient tellement les autres

161

qu'ils seraient disposés à tout risquer aux seules fins d'atteindre, voire de dépasser leurs semblables. Mais, comme on l'a vu dans la fable de la grenouille et du boeuf, il est toujours dangereux de chercher à vivre à l'extérieur de certaines limites raisonnables.

Connaissez-vous cette autre histoire d'un jeune poisson qui las de se nourrir des denrées se trouvant dans la boue du fond du lac dans lequel il habitait, cultiva l'envie d'aller bouffer le délicieux ver de terre qui se tortillait dans tous les sens un peu plus haut, tout près de la surface de l'eau. A un certain moment, n'écoutant que son désir, le poisson, d'un puissant coup de queue, se dirigea tout droit en direction du malheureux ver. Il ouvrit tout grand la bouche et avala d'un coup le délicieux ver. Mais ce que le glouton de poisson ignorait, c'est que le ver était solidement accroché à l'hameçon de la ligne d'un pêcheur expérimenté. Et, comme tous les autres poisson envieux des lacs et des rivières, notre ami le poisson finit ses jours dans une poêle à frire. Vous voyez, ce n'est pas toujours avantageux de suivre ses instincts. Chercher à évoluer en dehors de certaines limites raisonnables, c'est s'exposer parfois à devoir récolter des problèmes qui peuvent être catastrophiques.

J'ai connu un jour un jeune homme dont l'ambition consistait à devenir millionnaire à tout prix. Son objectif, comme il le disait à l'époque, c'était de pouvoir ramasser son premier million avant d'avoir atteint l'âge de trente ans.

Dans le but de parvenir à ses fins, le garçon en question décida de se doter d'un solide bagage de connaissances, ce qui lui permit d'entreprendre une carrière intéressante dans le monde de la haute finance. Ensuite, il se joignit à un groupe d'experts financiers qui lui enseignèrent tous les rudiments du monde prodigieux de la finance commerciale. Les affaires allèrent tellement bien pour notre jeune ambitieux qu'en moins de cinq ans, il en était arrivé au point de voyager un peu partout à travers le monde afin de s'occuper d'affaires financières toutes plus intéressantes les unes que les autres.

Mais un beau jour, quelques mois seulement avant son trentième anniversaire, l'ambitieux commença à se plaindre à propos de certains malaises qui devenaient de plus en plus douloureux au milieu de la poitrine, le tout s'accompagnant de grande faiblesse. Il consulta un médecin à propos de ces malaises indésirables. Le médecin, très expérimenté à propos de tels malaises, conseilla fortement à cet homme de prendre quelques mois de repos et surtout de ralentir le rythme de ses activités. Mais étant bien trop occupé pour suivre les sages conseils du médecin, l'ambitieux n'en continua pas moins sa vertigineuse course vers le sommet de la réussite. Moins de six mois plus tard, un superbe service funèbre fut chanté en l'honneur de ce valeureux jeune loup de la finance qui s'était fixé comme principal objectif de devenir millionnaire avant d'avoir atteint l'âge de trente ans.

Un jour, une jeune et jolie fille, qui en avait assez

de travailler à la petite semaine comme tout le monde, rencontra un certain monsieur influent qui lui ouvrit toutes grandes les portes du monde du spectacle ainsi que celles de la gloire et de la fortune. Le type en question fit miroiter aux yeux de l'ambitieuse qu'avec le physique dont elle était dotée, elle parviendrait aisément à gagner au moins quelques milliers de dollars par semaine. Des milliers de dollars par semaine pour effectuer quelques pas de danse dans les cabarets, et pour se montrer gentille avec les clients, c'était pas mal plus formidable et intéressant que les quelques malheureux cent dollars que lui rapportait son travail de bureau à l'époque.

Quelques mois plus tard, un journal spécialisé en criminalité annonça en première page le meurtre de la jeune et jolie danseuse. Le journal en question expliqua qu'il s'agissait d'une autre affaire de drogue du monde interlope.

J'ai connu une certaine femme dont le mari, bon et honnête travailleur, parvenait à peine à joindre les deux bouts avec son seul salaire. Un beau matin, en ayant sans doute assez de devoir calculer chaque dollar, l'épouse en question décida d'aller travailler comme serveuse dans un restaurant.

Les choses allèrent merveilleusement bien au début. Le salaire de la femme étant presque le double de celui du mari, le couple se permit les plus folles dépenses. Meubles neufs, maison neuve, seconde auto, sorties dans les chics restaurants, tout y passa. Bien entendu, le couple ne se priva pas pour utiliser tout le crédit qui était en leur possession; si bien qu'un beau jour, les comptes mensuels à payer ne purent être comblés par les rentrées d'argent.

Quelques années plus tard, je rencontrai le mari alors que j'avais affaire dans une quincaillerie. Après lui avoir demandé des nouvelles de sa famille, ce dernier, la tête basse, me mentionna que lui et sa femme venaient tout juste de se séparer. Il m'expliqua qu'à force de fréquenter toutes sortes d'individus peu recommandables, les deux s'étaient adonnés à l'adultère, ce qui, évidemment, avait détérioré au plus haut point les relations conjugales du couple concerné.

J'ai connu un type qui, ne tenant pas en place, décida un jour de suivre un cours de pilotage de petit avion. Cet individu avait le don de s'aventurer dans toutes sortes de projets, tous plus insensés les uns que les autres. Un jour, alors qu'il en était à sa sixième leçon, le petit avion qu'il était en train de piloter tomba en panne, piqua du nez et s'écrasa sur le flanc d'une petite montagne. Que c'était donc triste de mourir ainsi aux seules fins d'avoir voulu satisfaire une nouvelle envie tout à fait inutile!

J'avais un ami qui, un beau jour, manifesta le désir de vouloir posséder sa propre maison. Bien sûr, il n'y a pas de mal à vouloir posséder sa maison, mais c'est toujours malsain de s'aventurer dans des grosses dépenses lorsque les salaires suffisent à peine à join-

165

dre les deux bouts.

Cet ami, sans être riche, parvenait quand même à bien vivre. Sans habiter un palace, sa famille était quand même logée confortablement dans un appartement modeste mais propre.

L'homme en question avait fixé son désir sur une superbe demeure dont le prix figurait parmi l'un des plus élevés à l'époque. Lors de sa rencontre avec son gérant de banque, celui-ci lui expliqua que son seul salaire ne lui permettait pas de s'aventurer dans un tel projet. Cependant, avec beaucoup d'habileté, le financier parvint à faire comprendre à l'ami en question qu'un deuxième emploi rendrait sans doute l'acquisition possible.

La proposition du banquier plut tant à mon ami qu'il retroussa ses manches et, moins de deux jours plus tard, il commençait à travailler à un second emploi qu'il avait déniché au centre de la ville. Ce second emploi consistait à livrer des pizzas durant les soirs et une bonne partie de la nuit.

Tout allait bien au début et semblait se dérouler tel que prévu. Les deux salaires permirent enfin à notre ami de s'aventurer dans la réalisation du projet qui lui tenait tant à coeur.

Mais les choses commencèrent à se détériorer petit à petit. A force de livrer des pizzas à toutes sortes de gens, l'ami en question commença à se faire ami avec certains individus peu recommandables; ce qui, bien entendu, le conduisit sur le chemin néfaste de l'immoralité. Finalement, le tout se termina en catastrophe dans une bouillie d'ivrognerie, de fornication, de troubles conjugaux, de séparation, de pertes d'emploi et de faillite. En conclusion, mon ex-ami se retrouva perdant sur tous les fronts et en est arrivé au point de devoir compter sur l'assistance publique afin d'assurer sa subsistance quotidienne.

Cette jeune fille dont il est maintenant question étant d'apparence plutôt agréable, elle n'eut aucune difficulté à trouver un garçon qui consentit à l'épouser. Mais quelles épousailles! Deux ans à peine après les noces «à tout prix», les choses avaient tellement dégénéré dans le ménage en question que les deux finirent par se séparer. Le jeune mari s'en alla de son côté, et l'épouse, elle, tout à fait désabusée, se retrouva sur le bien-être social avec deux jeunes bébés sur les bras et avec énormément de responsabilités sur le dos.

Aujourd'hui, plusieurs années plus tard, cette ancienne jeune fille qui voulait «absolument» se marier est aux prises avec deux adolescents qui s'adonnent à la drogue, au laxisme et à la violence. Bien que dépassant à peine le cap de la trentaine, cette femme a l'apparence d'une femme de cinquante ans tellement elle est usée par les tracas et les problèmes de tout genre.

Tous les brefs récits qui viennent d'être relatés sont

167

autant d'authentiques histoires vécues qui ont toutes entre elles une caractéristique commune. Les problèmes et les malheurs que doivent subir et supporter une foule d'individus leur sont causés uniquement à cause de leur obstination à vouloir vivre à tout prix dans des objectifs étant tout à fait hors de leur sphère réaliste d'activités. Insister pour s'aventurer au-delà de notre propre réalité, c'est s'exposer à une désastreuse récolte de déboires de tout genre. D'ailleurs, la plupart des maux humains ne constituent-ils pas autant de preuves vivantes, qui sont constamment à notre portée, pour nous convaincre de la véracité de cet énoncé?

Insister pour s'aventurer dans des projets irréalistes, et tout à fait irréalisables, c'est comme chercher à rouler à cent quarante kilomètres à l'heure dans une zone de trente kilomètres. C'est s'exposer à toutes sortes d'accidents probables, sinon à la récolte certaine de quelques contraventions.

Mais comment peut-on résister à ce désir persistant qui semble vouloir nous attirer vers la poursuite d'objectifs qui sont tout simplement au-delà des limites raisonnalbes que nous pouvons porter? Examinons quelques facteurs qui, lorsque bien compris et acceptés, peuvent nous être d'un grand secours dans les moments où la tentation nous envahit et cherche à nous faire glisser sur la pente dangereuse des désirs extravagants.

D'abord, le fait de toujours s'appliquer à PENSER,

DÉSIRER et VIVRE à l'intérieur des limites de SES propres moyens personnels constitue, à n'en pas douter, l'antidote par excellence à de nombreux maux inutiles.

Notre société de consommation ayant produit tant de gadgets de toutes sortes, il est souvent tentant de se mettre à penser, puis à désirer et enfin à vouloir acquérir des choses qui, à première vue, nous paraissent indispensables, voire agréables.

De nos jours, une publicité tapageuse et constante n'arrête pas de nous chatouiller les oreilles et les yeux aux fins exclusives de s'arracher notre clientèle, et, bien sûr et surtout, notre argent. Dans un tel contexte de vie, comment des êtres, n'étant pas suffisamment avertis, pourraient-ils résister et se prémunir contre l'envie de posséder toutes ces choses.

La publicité moderne est fort bien orchestrée et n'a qu'un seul objectif à réaliser: chercher à tout prix à nous amener à croire dur comme fer qu'à moins de posséder SA maison de luxe, SES meubles dernier cri, de faire SON grand voyage, d'avoir SES nombreuses cartes de crédit (voire débit), SON appareil vidéo le plus moderne, SES trois appareils de télévision, SES vêtements de dernière mode, il nous manque quelque chose de très important pour pouvoir parvenir au vrai bonheur.

Ensuite, une fois qu'on possède tous les gadgets modernes, la même publicité subtile, ou diaboliquement orchestrée, cherchera à nous persuader que tout ce que nous avons acquis à prix d'or est déjà démodé et qu'il est absolument essentiel de tout changer pour du neuf et du nouveau si nous voulons accéder au vrai bonheur.

Et le cercle vicieux se poursuit sans fin, sans aucun espoir de pouvoir en sortir un jour. Les achats à crédit, les dettes, les paiements mensuels extravagants et très lourds; encore de nouveaux achats à crédit dans le but de se moderniser, encore des dettes, encore des paiements plus lourds, et ainsi de suite jusqu'au jour où, n'en pouvant plus et cédant sous le fardeau, les nerfs les plus solides lâchent et tout finit par se disloquer: moral, ménage, foyer, etc, etc.

Le fait de s'appliquer à vivre à l'intérieur de ses limites personnelles et raisonnables ne signifie pas qu'il ne faut pas chercher à améliorer sa propre situation. Non. Mais s'il est tout à fait légitime de chercher à améliorer ses propres conditions de vie, il ne faut jamais perdre de vue le fait qu'en tout, il y a un temps approprié pour penser, un temps pour désirer, un temps pour acheter, un temps pour s'endetter, et aussi un temps pour payer et acquitter des dettes. Appliquer ce grand facteur de vie dans son cadre de vie personnelle, c'est se prémunir contre bien des maux modernes pouvant se définir, dans leur ensemble, comme le grand «mal de vivre» de notre siècle.

Un autre grand principe qu'il convient d'appliquer dans le cadre de notre propos, c'est celui qui consiste à ne jamais envier, ni jalouser les autres. Combien de personnes se sont pour ainsi dire «embarquées» dans des projets irréalisables, pour elles, ou des aventures douteuses aux seules fins de surpasser les autres qui, eux, semblaient réussir dans la conduite des mêmes projets! Combien d'individus ont ainsi acheté des biens avec pour seul mobile le fait que d'autres personnes venaient d'effectuer les mêmes achats! Aussi, combien de jeunes filles se sont mariées avec des individus peu recommandables aux seules fins de faire comme leurs amies qui, elles, venaient de se marier et paraissaient tout à fait heureuses en ménage! Encore, combien de couples ont soudain manifesté le désir d'engendrer un enfant aux seules fins d'imiter un couple ami qui venait de donner le jour à leur premier enfant!

L'être humain est un imitateur insatiable et indomptable. Il semble bien que ce que tous les autres ont ou font ait le don d'allumer en nous une sortie d'étincelle pouvant donner naissance à l'envie, voire à la jalousie. La plupart des individus font des choses, non pas parce qu'ils en ressentent vraiment le besoin fondamental, mais uniquement aux fins de satisfaire un désir passager, voire une jalousie qui vient d'être réveillée à la vue de ce que les autres viennent de faire. Ainsi, combien de personnes se sont aventurées dans des projets, des achats, ou des objectifs de tout genre aux seules fins d'imiter les autres, ou de calmer une certaine jalousie malsaine. D'ailleurs, n'est-ce pas ce qui est arrivé au premier être humain qui ait été engendré sur cette planète, c'est-à-dire Caïn?

171

Voyez où sa jalousie l'a poussé: au meurtre.

Par exemple, nous entendons souvent des personnes peu fortunées dire que les riches sont tous des personnages douteux. Cependant, s'il est vrai que l'argent que possède les riches ait fait d'eux des êtres douteux, alors pour quelle raison tant de pauvres cherchent-ils à tout prix à s'enrichir par le truchement des loteries? Avec quelle catégorie de gens les loteries actuelles s'enrichissent-elles? Avec les riches ou les pauvres? A voir ce qui se passe à travers le phénomène des loteries, quelle catégorie d'individus semble le plus avide de posséder de l'argent? Les riches ou les pauvres? Je connais quantité d'êtres, végétant au seuil de la pauvreté, et qui n'hésitent nullement à sacrifier une précieuse part de leurs faibles revenus à la loterie. Alors, s'il est vrai que la richesse a le don de tordre les consciences, il faut obligatoirement arriver à la conclusion que l'envie de devenir riches est le seul mobile qui incite tant de gens à dilapider leurs faibles revenus aux loteries.

Et les banques qui émettent des cartes de «crédit», elles, avec quelle catégorie de gens s'enrichissent-elles? Avec les riches qui ont les moyens de payer comptant leurs achats, ou plutôt avec de nombreux pauvres qui, achetant toutes sortes de gadgets, font souvent un usage immodéré des cartes mises à leur disposition?

Il faut bien comprendre que le fait d'envier ou de

172

jalouser ceux qui ont des choses, et qui ont les moyens de se les payer, a toujours des conséquences catastrophiques pour quiconque ne cultive pas l'art de savoir percevoir les véritables valeurs de l'existence.

Il importe de savoir, de bien comprendre surtout, qu'une personne fortunée, qui a les moyens de payer tout ce dont elle a envie, ne sera pas plus heureuse, ni plus malheureuse du fait qu'elle ait le pouvoir de disposer de ce dont elle désire. Par contre, il est essentiel de bien comprendre qu'une personne dont les moyens sont plutôt modestes, sera toujours malheureuse du fait de s'être adonnée à la satisfaction de combler ses moindres désirs en matière de biens de consommation. Ce ne sont pas les biens en soi qui contribuent au bonheur des uns et au malheur des autres; mais plutôt le fait de vouloir à tout prix acquérir des choses qui sont tout à fait hors de nos limites raisonnables. Un bien, pas plus qu'une pierre ou un verre d'eau n'a d'effet sur le bonheur de vivre. Ce sont les conséquences de nos décisions et de nos actions qui sont toujours à redouter, et non le bien comme tel.

De même, ce n'est pas l'argent en soi qui ait quelque pouvoir magique et ainsi le don miraculeux de contribuer au bonheur ou au malheur d'un être humain. En soi, l'argent n'est qu'un papier-outil, qui constitue un outil utile lorsque sagement utilisé, mais qui se transforme en outil dangereux et en source de malheurs de toutes sortes lorsque mal employé. En somme, l'argent pourrait aisément se comparer à un

173

couteau qui, dangereux quand utilisé par des mains maladroites, mais très utile lorsqu'employé par des mains habiles. Qu'une personne soit fortunée ou pas, ce facteur n'a guère d'incidence sur le bonheur ou le malheur de telle personne. L'argent a de tout temps constitué un outil de salut pour les êtres de coeur, et un outil de perdition pour les êtres sans coeur. Que ces êtres soient riches ou pauvres n'entre absolument pas en ligne de compte.

Une personne, quelle qu'elle soit, est sans cesse mécontente et malheureuse quand elle ne vit que pour améliorer son avoir. C'est bien connu que le seul fait de changer le mobilier du salon, ou de la chambre à coucher, n'aura pas grand pouvoir pour ce qui est d'améliorer les relations conjugales entre un couple qui n'en finit pas de se quereller.

Voilà un autre excellent moyen de se prémunir contre les nombreux problèmes et malheurs qui guettent la personne aux objectifs irréfléchis: orienter constamment ses pensées et son esprit dans la poursuite de buts qui auront la faculté de valoriser et d'accroître l'être plutôt que l'avoir.

Là où les objectifs atteints ont toujours de l'effet positif, autant sur le contentement que sur le bonheur de vivre, c'est lorsqu'ils améliorent l'être humain, que ce soit mentalement, moralement, affectivement, sentimentalement, ou spirituellement. L'être qui fait des progrès constants dans l'amélioration de ses qualités intérieures n'aura jamais à le regretter. Ainsi, le fait de croître en connaissances pratiques, en bonté, en discernement, en amour authentique, en maîtrise de soi, en douceur, en sagesse, en paix, aura toujours le don prodigieux d'améliorer au plus haut point ou au mieux les conditions de vie ainsi que tout l'environnement immédiat de l'être bon et intelligent qui s'est fixé de tels objectifs et qui, jour après jour, s'applique de bon gré et qui se discipline en vue de les atteindre.

Il y a enfin le contentement. En gros, on pourrait définir le contentement comme étant la faculté d'apprécier pleinement ce qu'on possède. Il y a des individus qui s'endettent afin de faire de longs et coûteux voyages alors qu'ils n'ont jamais pris le temps ni la peine de visiter le pâté de maisons là où ils habitent. Des conjoints se mettent à désirer une tierce personne alors qu'ils n'ont pas encore découvert la personnalité de leur propre conjoint. D'autres encore n'en finissent pas de changer de voiture alors qu'ils n'ont pas goûté pleinement la joie de rouler dans une auto qui est enfin vraiment à soi.

Lorsqu'on prend le temps d'apprécier pleinement tout ce qui est à la portée de notre personne, on n'en finit pas de se régaler de mille et une sources de petits bonheurs de tout genre que la vie met tout à fait gratuitement à notre portée. Ainsi, un coucher de soleil, la précieuse compagnie d'un conjoint compréhensif, une bonne et saine communication entre voisins, un petit jardin potager, un animal domestique, le bricolage, une marche dans les rues de notre voisinage,

175

cuisiner un plat nouveau, cuire son pain, faire de la peinture, écrire un recueil de poèmes, ce ne sont là que quelques-uns des petits plaisirs de la vie, qui coûtent si peu d'efforts et d'argent, et qui ont toujours le don merveilleux d'agrémenter au plus haut point l'existence personnelle ainsi que l'environnement immédiat de quiconque s'applique à l'étude constante de l'art consistant à APPRÉCIER LA VIE.

L'appréciation conduit toujours au contentement. Et lorsqu'on est content et satisfait de ce que l'on a, de ce que l'on voit et entend, on n'éprouve guère le désir ou le besoin d'aller papillonner aileurs, ou de s'endetter au-delà de nos possibilités en vue d'acquérir des gadgets qu'on n'aura finalement plus le goût d'apprécier dans moins de temps qu'il n'en faut pour les payer.

Penser, désirer et vivre constamment à l'intérieur des frontières de nos propres limites raisonnables; refuser absolument d'envier et de jalouser les autres, mais plutôt apprendre l'art qui consiste à se réjouir avec ceux et celles qui ont le pouvoir d'acquérir des choses sans pour autant devoir hypothéquer leur budget et leur bonheur de vivre; toujours tendre vers la poursuite d'objectifs qui auront la faculté d'accroître la valeur de l'être plutôt que celle de l'avoir; enfin, s'appliquer à cultiver à fond l'art précieux du contentement, en apprenant sagement à apprécier tout ce qui se situe à notre portée; voilà en résumé quelques principes logiques et pratiques qui, lorsque suffisamment compris et sagement appliqués, auront toujours

le don prodigieux de nous mettre à l'abri de ce lamen-
table cancer moderne qu'est le «mal de vivre».

Chapitre 11

Apprendre à cultiver un état d'esprit positif

Mon père n'a jamais voulu monter dans un avion. Selon son opinion, il était convaincu que les avions tombaient à chaque vol. Il avait déjà lu dans les journaux qu'un avion était tombé un jour tout près de Québec, entraînant dans la mort une trentaine de personnes, et cela avait suffi pour lui causer un certain blocage mental à propos des avions. Il est mort à l'âge de soixante-deux ans sans jamais être monté à bord d'un avion.

J'ai connu une tante qui n'a jamais voulu se baigner dans quelque lac ou rivière que ce soit. Un jour, alors qu'elle était enfant, elle était venue bien prête de se noyer et, depuis ce temps, elle n'a plus jamais voulu mettre les pieds dans une rivière, un lac, ou même une piscine. À ses yeux, tous les lacs et rivières de la planète Terre sont des endroits très dangereux dont il faut absolument se méfier. Voyez-vous ma tante est pour ainsi dire handicapée dans une sorte de blocage psychologique qui réussit à la convaincre que tout ce qui se nomme «eau» est désormais dangereux pour la vie.

Combien d'êtres sont ainsi bloqués mentalement à cause d'une mauvaise expérience qu'ils auraient vécue à un moment ou l'autre du déroulement de leur existence!

Par exemple, j'ai rencontré un jour un type très respectacle qui m'a déclaré, le plus sérieusement du monde, que tous les Juifs étaient des individus dont il fallait se méfier. Voyez-vous, cet homme avait entendu dire de la bouche de son père qu'un ami de celui-ci s'était fait rouler alors qu'il traitait certaines affaires avec un commerçant de race juive. Et depuis cette malheureuse expérience, toute la famille de cet homme se trouvait pour ainsi dire bloquée mentalement, voire psychologiquement à l'égard de tous les individus faisant partie de la race juive.

J'ai connu un homme qui s'était fait voler son porte-monnaie alors qu'il était en vacances en Floride. La malheureuse aventure qu'avait vécue le malheureux remontait à plus de quinze ans, et, depuis ce temps-là, il n'a jamais voulu remettre les pieds aux Etats-Unis. La raison? Eh bien, aux yeux de ce pauvre individu, tous les Américains sont des voleurs en puissance dont il importe absolument de se méfier.

Un ami avait prêté une certaine somme d'argent à un parent. Mais le parent, se montrant infidèle à ses engagements, n'a jamais daigné rembourser sa dette à l'ami en question. Eh bien, suite à cette malheureuse expérience, cet ami dont je fais mention n'a jamais consenti à prêter de l'argent à qui que ce soit, même pas à ses amis les plus sûrs, ni pour quelque motif que ce soit. Aux yeux de cet homme, tous les êtres humains sont des voleurs en puissance, des infidèles à leur parole qui empruntent de l'argent mais qui ne le remboursent pas.

J'ai connu un autre homme qui, après avoir économisé durant de longues années, avait enfin acheté l'auto de ses rêves. Le lendemain même de son achat, cet homme roulait allègrement sur la rue principale de son patelin quand, soudain, un gros camion, négligeant un arrêt, est venu s'échouer sur le côté de la nouvelle et luxueuse voiture de notre homme. A partir de ce triste moment, l'homme en question s'est juré que plus jamais il n'achèterait de voiture. Selon lui, le fait de conduire une auto constituait une sorte de danger mortel pour un être humain. Et il a tenu parole jusqu'à sa mort.

Je connais beaucoup d'individus qui ont une peur redoutable des chiens. À leurs yeux, tout ce qui a quatre pattes, une longue queue, des crocs et qui aboie constitue un danger certain pour l'être humain. Mais pour quelle raison tant de gens ont-ils ainsi peur des chiens? Bien entendu, certains individus ont peut-être déjà eu le malheur de vivre certaines mauvaises expériences avec les chiens. Mais la raison principale pour laquelle un grand nombre de personnes éprouvent tellement de peur à l'égard des chiens réside dans le fait que telles personnes ont été conditionnées, ou programmées à avoir peur des chiens. Ces personnes se sont laissées convaincre par d'autres, ou encore se sont convaincues elles-mêmes que tous les chiens étaient dangereux, et qu'il fallait à tout prix s'en méfier. Donc, tant de gens ont peur des chiens à cause uniquement du conditionnement mental des autres, ou d'elles-mêmes; ces personnes sont pour ainsi dire hypnotisées psychologiquement afin d'éprouver une peur permanente à l'égard de tous les chiens.

Des personnes ont peur des ascenceurs, d'autre sont effrayées à la vue d'un ver de terre, d'autres encore ont peur des poissons, d'autres ont peur de faire du ski. Oui, tant de personnes ont peur de tant de choses qu'il serait tout simplement impossible de toutes les mentionner ici.

Mais qu'est-ce qui fait que tant de gens soient aussi négatifs à propos de tant de choses? Est-ce dû au fait d'avoir subi certaines mauvaises expériences avec les objets de leurs peurs? Si ce peut être le cas pour certaines personnes, ce n'est cependant pas le cas pour toutes celles qui ont peur de tout. Encore une fois, certains individus sont comme qui dirait bloqués dans une certaine peur suite à une mauvaise expérience vécue; mais pour ce qui est de la majorité de ceux qui ont peur de tout, ceux-ci se sont tout simplement laissés influencer par d'autres, ou encore se sont conditionnés eux-mêmes afin d'éprouver de la peur à propos de choses et d'autres.

Il convient de comprendre que la peur est toujours négative, puisqu'elle handicape l'esprit en bloquant l'ensemble des facultés mentales sur un ou des malheurs qui, dans la plupart des cas, ne se produiront pas. Ainsi, la peur paralyse les ambitions légitimes et neutralise les efforts qui pourraient être entrepris par une personne en vue de la réalisation d'un projet quelconque.

Considérons un exemple qui confirme bien l'aspect négatif que peut engendrer la peur déraisonnable, ou injustifiée. Un beau matin, alors que vous vous sentez épuisée, votre mari part de la maison et, à son retour du travail le soir, il vous montre deux billets d'avion qu'il a achetés durant la journée. Votre mari a compris que le fait d'aller en vacances, tous les deux, pourrait vous faire le plus grand bien. Aussi s'empresse-t-il de vous faire part de la bonne nouvelle dès qu'il vous voit le soir à son retour.

Mais malgré la proposition alléchante de votre mari, vous déclinez son offre. Pourquoi? Tout simplement parce que vous avez peur de monter dans un avion. Il y a tant de pirates de l'air de ce temps-ci, et d'avions qui tombent, que vous vous êtes bien juré de ne plus jamais voyager en avion. Voyez-vous, à cause de votre peur injustifiée, vous venez de gâcher deux belles semaines de vacances pourtant bien méritées.

Bien sûr qu'il peut s'avérer dangereux de voyager en avion. Mais qui a prouvé que c'était moins dangereux de voyager en automobile? Au fait, saviez-vous qu'un plus grand nombre de gens se blessent et se tuent en voyageant sur les autoroutes que dans les airs? Ainsi, la peur qu'entretiennent de nombreuses personnes au sujet des avions de ligne est tout simplement déraisonnable, ceci en dépit du fait qu'il y ait plus de terrorisme à notre époque que dans d'autres temps.

S'il est sage de savoir se montrer prudent et sage avant d'entreprendre un projet quelconque, c'est tout à fait déraisonnable que d'avoir peur à propos de tout. Si la prudence est signe de sagesse pratique, la peur, elle, n'est, bien souvent, que le fruit amer d'une imagination un peu trop négative. D'ailleurs, on n'a pas à avoir peur quand on s'engage dans la poursuite d'un projet qui a été mûrement réfléchi et évalué dans la prudence et le discernement.

Refuser d'épouser l'élue de son coeur à cause du fait que plus de cinquante pour cent des mariages modernes échouent dans la séparation et le divorce, voilà une peur qui est tout à fait injustifiée. Si tant de mariages se brisent sur les récifs du divorce, la raison de tels obstacles n'incombe pas au fait que c'est l'arrangement du mariage comme tel qui est à blâmer. Non, la cause de tant de problèmes conjugaux modernes puise sa source dans le fait qu'un trop grand nombre d'individus, garçons et filles, se sont aventurés dans ce projet alors qu'ils n'étaient pas suffisamment dotés des compétences adéquates, ni que leurs mobiles n'étaient francs.

En effet, un trop grand nombre d'êtres inexpérimentés, dépourvus de toute connaissance pratique et irresponsables s'aventurent dans le mariage aux seules fins de satisfaire quelques passions passagères, ou encore pour imiter d'autres couples de leurs connaissances. Le mariage étant un engagement sérieux, il ne convient pas de s'y engager dans l'aveuglette et la passion éphémère.

Deux êtres qui s'aiment d'un amour authentique, équilibré et raisonnable; qui se respectent, et qui ont déjà appris à développer au plus haut point l'art précieux de la communication et aussi le sens de la compréhension, tels êtres ont toutes les chances au monde de réussir leur vie conjugale. Le succès ou l'échec d'un mariage ne dépend pas des statistiques, mais de l'application constante des principes de vie qui sont clairement connus et à la portée des humains de notre planète.

L'arrangement du mariage est toujours une grande source de joie et une aventure génératrice de bonheur de vivre pour qui s'y engage avec de bons mobiles ainsi qu'avec une attitude qui soit à la fois raisonnable et équilibrée, et non pas aveuglée par la passion et la sentimentalité. Mais le mariage n'est pas, et ne sera jamais une source de bienfaits ni de bonheur satisfaisant pour qui ne voit dans cet arrangement sacré qu'un moyen comme un autre de pouvoir satisfaire ses désirs égoïstes.

Pour qui en a les moyens, le fait de faire un voyage

peut s'avérer être une grande source génératrice de joie et de bonheur de vivre. Alors, si vos moyens vous le permettent, cessez d'avoir peur et allez donc faire ce grand voyage qui vous tient tant à coeur. Pour les êtres joyeux et positifs, tous les voyages sont source de joie et de bonheur; mais pour les êtres égoïstes, déplaisants, querelleurs, détestables, envieux, négatifs, aucun voyage au monde n'aura le pouvoir de leur procurer quelque satisfaction que ce soit.

Maintenant, si vos moyens ne vous permettent pas d'aller faire un long voyage, sachez qu'il y a tant d'endroits où aller et qui sont à la portée et aux goûts de tous. Par exemple, aller camper en forêt, aller à la pêche, faire une randonnée en automobile, ce ne sont là que quelques-unes des activités qui, tout en étant à la portée de toutes les bourses, sont autant génératrices de joie et de bonheur de vivre que celles qui sont plus dispendieuses et hors de nos moyens. Donc, pour ce qui est de s'évader pour un moment, nul besoin d'envier ceux qui ont les moyens de se payer de longs et coûteux voyages. Il suffit tout simplement d'apprendre à puiser sa joie et savourer son bonheur de vivre là où nos moyens personnels peuvent nous mener.

De même, acheter une auto, une maison, ou encore des meubles peut s'avérer une source de joie et nous procurer certains bienfaits positifs si, avant de nous engager dans la poursuite de tels projets, nous avons pris le soin de bien réfléchir à tous les aspects de l'objectif concerné. Par contre, tout achat quelconque se révélera être un désastre ainsi qu'une grande source de frustrations pour quiconque s'aventure aveuglément dans des transactions irréfléchies.

Je connais des couples qui, bien qu'étant mariés depuis plusieurs années, refusent à tout prix d'engendrer des enfants parce que, selon eux, la plupart des couples qui ont des enfants ont de nombreux problèmes. Bien entendu, libre à chacun d'avoir ou de ne pas avoir des enfants, la question n'est pas là.

Mais s'il y a une chose qui n'est absolument pas fondée, c'est de prétendre que les enfants sont une plus grande source de problèmes à notre époque. Il convient de savoir que les mauvais parents ont souvent produit des enfants à problèmes; et que les parents sérieux et compréhensifs, qui ont pris à coeur leurs responsabilités, ont souvent produit des enfants positifs et agréables. Bien que le rôle des parents ne soit pas toujours responsable de la sorte d'enfants produits, le fait de s'appuyer uniquement sur des statistiques pour décider si oui ou non on aura des enfants est le reflet d'une peur tout simplement injustifiée.

On augmente considérablement sa joie et son bonheur de vivre lorsqu'on apprend à cultiver une attitude positive à l'égard de la vie en général et des gens en particulier.

Je connais un homme qui, un beau matin, n'a pas eu peur d'abandonner l'emploi minable et dévalorisant dans lequel il végétait depuis trop d'années.

187

Excellent mécanicien, et fortement encouragé par des amis positifs et raisonnables, cet homme décida donc de se mettre à son compte. Autrefois, il gagnait à peine de quoi faire vivre sa petite famille. Mais aujourd'hui, cet homme courageux, qui a refusé de se laisser vaincre par la peur, est le patron d'un garage qui lui génère des revenus dans les six chiffres.

Maintenant, allez-vous penser que cet homme est devenu exclusivement matérialiste du fait qu'il gagne tant d'argent? Absolument pas. Il consacre environ trois jours par semaine à ses affaires, et le reste de son temps libre, il le consacre à des activités qui, tout en étant saines, procurent de nombreux bienfaits de tout genre aux membres de sa communauté. Cet homme, qui fait de l'argent comme de l'eau pour ainsi dire, est à la fois un excellent père de famille, un très bon mari, un être généreux et compréhensif qui fait du bien à tous ceux qui ont le privilège de le côtoyer.

Pourquoi végéter lamentablement dans l'ennui et la solitude alors qu'il y a tout autour de vous des voisins et des êtres qui ne demanderaient pas mieux que de faire votre connaissance et recevoir un peu de votre chaleur humaine? Pourquoi avoir peur d'aller au-devant des gens? Pourquoi ne pas miser sur le fait que les gens qui vous entourent sont en tous points identiques à vous, et qu'ils partagent tout à fait vos sentiments pour ce qui est de la précieuse compagnie des autres.

Pourquoi vous refuser le bonheur d'écrire quelques

mots d'encouragements et de félicitations à ce parent, cette amie, ou cette connaissance qui n'attend peut-être que ce signe de votre part pour venir vers vous? Encore, pourquoi ne pas aller rendre une petite visite à cette vieille tante que vous n'avez pas vue depuis si longtemps déjà? Oui, pourquoi ne pas vaincre une fois pour toutes cette peur injustifiée d'aller à la rencontre des coeurs, de vous ouvrir à eux, de les réconforter, les rendre heureux, et récolter, en retour, la joie immense qui devient nôtre lorsqu'on apprend à donner de tout notre être et de tout notre coeur?

Il ne faut jamais avoir peur d'aller à la rencontre des gens. Il ne faut jamais tomber dans le piège qui consiste à penser, puis finalement à croire dur comme fer que tous les êtres humains qui nous entourent sont des égoïstes, des ingrats, des profiteurs, des voleurs, des menteurs, des assassins en puissance, des êtres irresponsables, ou encore des calomniateurs et des médisants.

Bien sûr, il est raisonnable de se montrer prudent dans nos rapports avec certains individus; mais de là à sombrer dans cette peur injustifiée et déraisonnable qui consiste à s'isoler de tout le modne, il y a toute une marge que seul notre positivisme nous permettra de surmonter, puis finalement de vaincre. S'abandonner dans les bras négatifs de la peur des gens, c'est se condamner irrémédiablement à la solitude, à l'ennui, à la dégénérescence mentale, spirituelle et affective, et enfin se priver des innombrables petits bonheurs de vivre que la vie met à notre disposition à travers nos nombreux contacts avec nos semblables, nos frères et nos soeurs les humains.

De nos jours, la presse écrite et parlée nous a pour ainsi dire conditionnés à éprouver une certaine crainte à l'égard de nos semblables. En effet, les nouvelles ne cessent de faire état de crimes et de violence de toutes sortes. Même les divertissements télévisés ont plutôt tendance à sombrer dans le sens de la violence que dans celui de la fraternité humaine et l'amour. Ce n'est donc pas sans raison si, de nos jours, tant de gens se méfient de tant de monde. Oui, il semble qu'une sorte d'esprit démoniaque soit en train de conditionner tous les êtres humains de la planète à ressentir une certaine peur les uns à l'égard des autres. Et qu'engendre finalement cette peur déraisonnable si ce n'est de la méfiance, de l'isolation, de la crainte, de la suspicion, en somme toujours plus de violence et de dégénérescence!

Mais ouvrez grands les yeux et regardez autour de vous! Vous ne manquerez pas de constater que derrière cette peur souvent injustifiée se cachent de nombreux visages et coeurs humains et généreux qui ne demandent en somme qu'une seule chose de la vie: êtres découverts, aimés, et leur enseigner à aimer! Vous constaterez que derrière cette façade de haine, de rancune, de violence, d'échecs, de calomnie, d'irresponsabilité, en somme d'imperfection bien humaine, il y a des coeurs qui souffrent, des personnalités qui se cherchent, voire des êtres qui ne demanderaient pas mieux que de s'ouvrir de tout leur être à la délicieuse vie à laquelle ils sont indéniablement attachés. D'ailleurs, tous les êtres qui nous entourent auraient-ils des sentiments différents des nôtres?

Mais, au fait, comment peut-on parvenir à cultiver un état d'esprit positif à l'égard de la vie en général et de nos semblables en particulier?

C'est bien simple. D'abord, il faut apprendre à se doter soi-même d'une attitude d'esprit qui, tout en étant raisonnable et équilibrée, soit aussi positive. Ce qui deviendra possible en s'appliquant constamment à apprendre à voir les êtres qui nous entourent, et à percevoir la vie dans son ensemble à travers tout ce qu'il y a de plus pur, de vrai, de positif, de valable. Il faut à tout prix se refuser de voir les gens et de percevoir la vie uniquement à travers ce qu'il y a de plus laid et malsain. Voilà une excellente façon de procéder pour pouvoir parvenir, petit à petit, à se doter d'une excellente attitude d'esprit positive à l'égard des gens et de la vie.

Ensuite, on apprend à se doter d'une attitude d'esprit positive en cultivant l'art qui consiste à savoir s'immuniser contre l'invasion négative des autres. Par exemple, si quelqu'un cherche à vous persuader qu'un tel ou une telle a tel ou tel défaut détestable, vous pouvez accepter le fait qu'effectivement tel défaut peut fort bien exister. Par contre, vous parviendrez à développer une attitude positive à l'égard de la personne concernée si vous refusez à tout prix de voir tel être uniquement à travers le défaut mentionné.

Donc, s'il est raisonnable de se montrer prudent dans nos contacts avec une personne en particulier à cause d'un défaut détestable, il est par contre tout à fait déraisonnable de se bloquer mentalement, et se refuser à telle personne uniquement à cause d'un seul défaut. Il s'agit là d'un autre excellent moyen à cultiver pour parvenir à se doter d'une attitude positive à l'égard de nos semblables.

Les mêmes moyens peuvent aussi s'appliquer dans le développement d'une attitude positive à l'égard de la vie. Toujours s'appliquer à percevoir la vie à travers ses aspects les plus positifs, les plus agréables et les plus joyeux constitue une excellente façon de se doter d'une solide attitude positive à l'égard de la vie. Bien sûr, la vie n'est pas faite que de joies et de bonheurs. Il y a des jours qui peuvent être plus sombres ou plus désagréables que d'autres; mais pour ce qui est de la vie, elle, elle n'en demeure pas moins belle, agréable et délicieuse. Souvenez-vous de la comparaison du rosier. Bien qu'un rosier soit doté d'épines qui peuvent causer des blessures et de la douleur, n'empêche que telles épines n'enlèvent rien au fait que les rosiers sont toujours producteurs de roses magnifiques qui ne cessent d'agrémenter nos instants les plus joyeux.

Il y a des vacanciers qui maudissent la pluie, tandis que les cultivateurs, eux, la bénissent. Il y a des gens qui maudissent la neige, tandis que d'autres, qui s'adonnent au ski et aux autres sports d'hiver, ne cessent de la bénir. Les criminels détestent les policiers comme la peste, tandis que les gens aux mobiles plus nobles apprécient au plus haut point les innombrables services que ceux-ci rendent à la société. Comme vous pouvez le constater, tout dépend de l'état d'esprit par le moyen duquel nous entrevoyons les choses de la vie.

Un jour se montrera peut-être sous son aspect le plus négatif à vos yeux, à cause surtout du malheur qu'il semble vous apporter. Cependant si, une fois le choc du malheur absorbé, vous ouvrez bien grands les yeux de votre esprit, et aussi ceux de votre coeur, ceci afin de pouvoir sentir bien au-delà du malheur en question, vous trouverez peut-être, enfoui profondément au coeur de tel malheur, le précieux germe d'un grand bonheur. N'oubliez pas que les plus grands arbres se trouvent enfouis dans les graines les plus minuscules.

De même, une personne en particulier se montrera peut-être détestable à vos yeux; cependant, si vous apprenez à la scruter à l'intérieur, c'est-à-dire dans son esprit et son coeur, vous découvrirez sans doute le précieux germe d'une grande et profitable amitié.

La vie et les êtres qui nous entourent pourraient se comparer à un diamant. Ils sont dotés de nombreuses facettes qui sont toutes plus intéressantes les unes que les autres. Comme ce serait vain de s'attendre qu'un diamant soit parfait dans toutes ses facettes, de même, ce serait déraisonnable que d'insister pour que la vie et les êtres imparfaits que nous sommes soient dotés uniquement d'aspects parfaits. Cependant, malgré le fait que la vie en général, et les êtres en particulier soient dotés de facettes négatives, voire tout simplement déplaisantes et détestables, il nous suffit tout simplement d'ouvrir tout grands les yeux de notre coeur, d'aller à la rencontre de nos semblables, de savourer la vie, et de les accueillir tels qu'ils se présentent à nous, pour vite goûter à satiété aux mille et un petits bonheurs quotidiens qui sont ainsi à notre portée.

Il convient d'imiter les joailliers dans nos rapports quotidiens avec la vie et les gens. C'est-à-dire apprendre à placer bien en évidence la plus belle des cinquante-six facettes, et croire positivement, de tout notre être, qu'il s'agit du plus beau bijou au monde.

CHAPITRE 12

Comment affronter les problèmes

Si vous êtes en train de lire ce livre, c'est donc dire que vous êtes un être humain fait de chair et de sang qui habitez sur la planète Terre. Et étant donné que vous demeurez sur la même planète que moi ainsi que tous les autres terriens, vous êtes donc, vous aussi, jour après jour, confronté aux mêmes problèmes que doivent affronter quotidiennement tous les êtres vivants à l'heure actuelle sur la terre.

Étant donc soumis aux mêmes problèmes que tous les autres, deux seuls choix s'offrent à vous: quitter la planète Terre pour aller vivre dans une autre galaxie, ce qui serait pas mal difficile; ou apprendre à vous adapter à tous ces problèmes qui ne manquent pas de s'abattre sur vous jour après jour.

Vivre ou mourir constituent donc les deux seuls choix qui s'offrent à tous les êtres humains résidant sur notre planète. Et étant donné que nous voulons tous demeurer en vie, il ne reste donc pas d'autre alternative que celle qui consiste à apprendre à affronter notre lot de problèmes quotidiens.

Chaque nouvelle journée qui se présente à la porte de notre vie apporte avec elle son lot de joies à savourer et de problèmes à résoudre. Comme il en a déjà été fait allusion à la fin du précédent chapitre, on pourrait comparer une journée de vie à un rosier. Un jour de vie, comme un rosier, ne porte pas que des roses. Il porte aussi des épines, soit pas mal plus d'épines que de roses. Mais malgré le fait qu'ils sont porteurs de nombreuses épines, n'empêche que les rosiers sont toujours aussi populaires qu'ils l'étaient il y a mille, deux mille, voire six mille ans.

Il en est exactement ainsi avec la vie. Bien qu'un jour de vie soit porteur de nombreux problèmes, n'empêche que la vie est toujours aussi populaire qu'elle l'est depuis la fondation du monde. De plus, comme un rosier, un jour de vie ne nous apporte pas que des problèmes; il produit aussi des roses, c'est-à-dire des joies ainsi que toutes sortes de petits et grands bonheurs quotidiens. Nous pouvons donc apprendre à aimer une journée de vie, telle qu'elle se présente à nous, exactement comme nous pouvons facilement apprendre à aimer un rosier, tel qu'il se présente à notre vue.

Si les rosiers n'étaient pas dotés d'épines, les bêtes sauvages et domestiques s'en empareraient et s'empresseraient sans doute de les dévorer. De même, si une journée de vie n'était pas dotée de certains problèmes, il pourrait arriver que l'on en vienne facilement à oublier les joies renfermées dans telle journée. Comment pourrions-nous apprécier les joies quotidiennes produites par une journée de vie s'il n'y avait pas d'épines à résoudre? N'est-ce pas exact qu'il suffit parfois de subir une couple de déceptions pour nous inciter à apprécier au plus haut point le moindre petit bonheur?

Il semble évident que le seul but des épines dans un rosier soit de conserver intacte la majestueuse beauté des roses. Ainsi, si l'on suit le même raisonnement, il semble pas mal évident que le seul but des difficultés quotidiennes soit de garder intact le merveilleux souvenir du moindre petit bonheur quotidien.

Se bloquer sur un problème, c'est comme chercher à arrêter les aiguilles du temps. Personne ne peut empêcher le temps de progresser vers le futur. Se bloquer sur un problème, c'est comme insister pour vouloir reculer dans le passé. Et l'être qui cherche à effectuer un retour vers l'arrière se prive automatiquement de toutes les joies de vivre qu'il court la chance de cueillir au fur et à mesure du déroulement de son vécu quotidien. En somme, se figer dans un problème, c'est comme se lamenter sur les rigueurs de l'hiver dernier.

Il y a plusieurs façons d'affronter les divers problè-

197

mes que la vie nous apporte quotidiennement sans pour autant perdre son bonheur de vivre. Considérons, si vous le voulez bien, certains des principes qui ont largement fait leurs preuves dans l'art consistant à affronter les problèmes d'abord, puis à les solutionner ensuite, ceci au fur et à mesure qu'ils nous parviennent.

Ce qu'il convient de faire d'abord, lorsqu'un problème se présente à la porte de notre vie, c'est de nous appliquer à garder tout notre calme. Un problème atterrit devant nos pas un peu comme lorsqu'un cheveu vient atterrir dans notre soupe. S'énerver et brasser notre soupe dans tous les sens avec une cuillère n'aura pas d'autre résultat que celui d'enfouir le cheveu à travers les autres ingrédients contenus dans notre soupe. Finalement, ne parvenant plus à trouver le cheveu en question, nous n'aurons plus d'autre choix que de jeter tout notre bol de soupe.

S'énerver quand un problème se présente à nous, c'est comme se débattre dans tous les sens dans le sable mouvant. Vous savez ce qui attend le malheureux qui se retrouve dans le sable mouvant et qui s'agite dans tous les sens.

Encore, s'énerver en présence d'un problème, c'est comme si quelqu'un, qui est en train de se noyer, ne cessait de s'agiter. Bien loin de sauver sa vie, telle personne ne récolterait pas d'autre résultat que celui de s'épuiser, puis, à bout de souffle, se mettrait rapidement à couler au fond.

Donc, le fait de s'énerver lorsqu'on est confronté à un problème ne produira pas d'autre résultat que celui consistant à empirer la situation délicate dans laquelle l'on se trouve. Paniquer en présence d'un problème, c'est gaspiller inutilement ses énergies mentales sans progresser d'un seul pouce vers la solution du problème qui vient de surgir.

On pourrait comparer un problème à une bête sauvage, indomptée, ou encore à un gros chien coléreux. Le fait a été depuis longtemps démontré que plus un être humain paraît ressentir de la peur lorsqu'il est en présence d'une bête sauvage, ou d'un chien dangereux, plus la bête cherchera à profiter de la situation afin d'inciter telle personne à sombrer dans une attitude de panique.

Avez-vous remarqué ce que font les bêtes sauvages, les lions par exemple, lorsqu'ils rencontrent un être humain ou une bête plus faible qu'eux? Ils grognent, rugissent, ceci aux seules fins d'amener l'être en question, ou l'autre animal à figer dans la peur.

Par contre, il arrive souvent que dès qu'une bête sauvage, ou un chien dangereux «sent», ou réalise qu'il ne parvient pas à effrayer son adversaire potentiel, telle bête sauvage, ou tel chien, ne tarde pas à cesser de grogner et finalement à faire demi-tour.

Il convient donc de se comporter avec sang-froid et calme lorsqu'on est en présence d'un problème, exactement comme il conviendrait de le faire si l'on était soudainement en présence d'une bête sauvage, ou un chien dangereux.

En plus de s'appliquer à conserver tout notre calme et notre sang-froid, une bonne vieille méthode éprouvée à appliquer lorsqu'on est soudainement confronté à un problème quelconque, c'est celle qui consiste à ne pas dire un mot.

Par exemple, vous vous promenez dans la rue en compagnie de votre conjoint quand, soudain, un petit chien sort de derrière une certaine maison et se met à aboyer après vous. Qu'allez-vous faire? Vous planter devant le chien, le regarder d'un air agacé et entreprendre un long dialogue avec lui! Non. Agir ainsi n'aurait pas d'autre effet que d'inciter le petit chien à aboyer davantage. Même si vous passeriez toute une demi-journée à faire des remontrances au petit chien, et que vous lui expliqueriez qu'il ne convient pas d'aboyer ainsi après les passants, vos efforts de persuasion n'aboutiraient à absolument rien de positif. Plus vous parleriez, plus le chien aboierait.

Les mots ont une très grande influence sur l'esprit ainsi que sur toutes les facultés mentales en général. Donc, le fait de les prononcer, ou de ne rien dire sera déterminant dans le choix de l'attitude que vous adopterez en présence d'un problème. Choisir de ne rien dire lorsqu'on est confronté à un problème, c'est du même coup priver de combustible négatif tel problème et ainsi l'empêcher de dégénérer en incendie de forêt. En choisissant calmement de ne rien dire, on met ainsi toutes les chances de son côté; on ne court donc pas le risque de paniquer, s'énerver, s'irriter, se précipiter, ni faire quoi que ce soit qui serait dommageable ou encore irréparable.

Maugréer, gémir, tempêter, se lamenter, ou menacer lorsqu'on est confronté à un problème subit, c'est exactement comme si l'on jetait un baril d'huile sur le petit foyer d'incendie que l'on cherche à éteindre. Le très vieux proverbe qui atteste que «Faute de bois, le feu s'éteint» s'applique donc très bien ici.

Une autre excellente attitude à adopter lorsqu'on est en présence d'un problème c'est de ne jamais, au grand jamais, rendre les autres responsables de ce qui nous arrive. Se défouler sur les autres quand il nous survient une difficulté n'a pas d'autre effet que de déplacer le problème.

Que diriez-vous d'une personne qui, après avoir soigneusement balayé le plancher de sa cuisine, lèverait un coin de tapis du salon et y camouflerait les détritus de la cuisine? Eh bien, chercher à incriminer les autres lorsqu'il nous arrive un problème, c'est agir exactement comme la drôle de personne que l'on vient de mentionner plus haut, c'est-à-dire prendre les détritus de la cuisine et les cacher sous le tapis du salon.

Bien que les autres soient souvent responsables des problèmes qui nous arrivent, il importe de bien com-

201

prendre que tous les êtres humains de la planète Terre sont au moins en partie responsables de l'ensemble des problèmes humains de notre temps.

Une personne a beau se lamenter à propos de son insupportable de conjoint, n'empêche que son conjoint ne serait pas insupportable à ses yeux si elle ne l'avait pas épousé. Un automobiliste a beau se plaindre du chauffard qui vient de lui égratigner sa belle grosse voiture, n'empêche que tel chauffard ne lui aurait causé aucun dommage s'il n'avait pas circulé avec sa belle bagnole dans cette rue précise. Comme vous pouvez le constater, l'ensemble des êtres composant la grande famille humaine porte, la plupart du temps, au moins une partie minime des problèmes humains. Donc, le fait de lancer la pierre à Pierre, Jean ou Jacques ne produit pas d'autre résultat que celui consistant à ne déplacer que de la poussière.

Une fois le choc émotionnel amorti, une autre excellente manière à prendre lorsqu'on est en présence d'un problème, c'est d'adopter celle qui consiste à établir un bilan écrit et détaillé de la situation. Cette excellente façon de faire a le don pratique de nous aider à bien cerner les causes véritables de tel problème en particulier. Cette façon de procéder peut sembler un peu simpliste; cependant, le fait est bien reconnu que si la plupart des gens ne parviennent pas à apporter de solutions permanentes à leurs problèmes, la raison incombe au fait que ces mêmes gens n'ont jamais bien identifié les causes réelles de leurs maux et misères.

202

J'ai connu un jour une famille qui ne parvenait pas à joindre les deux bouts. A chaque mois, cette famille était confrontée au même problème, soit le manque d'argent. Pourtant, lorsque le mari et la femme effectuaient le montant total de leurs revenus ainsi que celui de leurs dépenses mensuelles, la balance nette totale penchait toujours vers un excédent.

Un jour, le mari me fit part de son problème, devenu chronique, alors que nous prenions ensemble notre repas du midi. Le mari consentit à établir un bilan écrit et détaillé de l'ensemble de ses revenus et dépenses mensuels. Tel que je lui avais conseillé, il inscrivit soigneusement les moindres détails. Comme par magie, l'homme en question parvint à mettre le doigt sur la cause réelle de ses nombreux problèmes d'argent. Il gagnait suffisamment d'argent pour boucler ses dépenses mensuelles. Mais ce que le bilan écrit et détaillé révéla, c'est qu'une certaine somme d'argent s'envolait pour ainsi dire en fumée suite à de trop nombreuses visites dans les restaurants. Une fois la cause précise identifiée, et les corrections appliquées à la lettre, la famille en question n'eut plus aucun problème d'argent.

Un jour, j'ai rencontré par hasard un ami qui, dès qu'il me vit, se mit à maugréer contre la Sûreté du Québec. À ses yeux, tous les policiers du Québec étaient des incapables, une bande d'injustes qui feraient mieux de poursuivre les «vrais» criminels au lieu de s'attaquer aux «honnêtes» gens comme lui.

Mon ami en voulait aux policiers à cause du fait que ces derniers venaient tout juste de lui assigner une contravention. Selon les policiers, il avait roulé trop vite dans une zone où la limite de vitesse était restreinte. Le résultat: une contravention de quarante dollars à acquitter dans les dix jours ainsi qu'un certain nombre de points de démérite qui devront figurer au dossier de notre conducteur pour un bon bout de temps.

Mais ce n'est pas en maugréant contre les policiers qui, en fin de compte, n'ont fait que leur devoir consistant à protéger TOUS les citoyens, que mon ami serait parvenu à résoudre son problème.

Afin d'aider cet ami à solutionner une fois pour toutes cet épineux problème de contraventions et de points de démérite, je l'invitai à venir prendre un café avec moi. Une fois bien assis à une bonne table, au Burger King, je sortis un papier et un crayon et suggérai à mon ami d'établir un bilan précis de son problème de circulation routière.

Malgré le fait que mon ami ait souri au début, nous sommes quand même parvenus à établir le bilan et finalement à bien cerner la véritable cause de ses déboires avec la Sûreté du Québec. Le bilan écrit et détaillé révéla clairement le fait que mon ami souffrait, comme tant d'autres automobilistes d'ailleurs, y compris moi-même, d'un sérieux problème de distraction lorsqu'il était au volant. Enfin, à partir de l'identification réelle des causes du problème en question,

204

nous sommes parvenus à la conclusion logique, mon ami et moi, que le fait de pratiquer la sage discipline de l'attention contribuera automatiquement à apporter une solution permanente au dit problème.

Les statisticiens sont formels à ce sujet: plus de cinquante pour cent des problèmes qui nous arrivent sont le résultat direct de notre propre inexpérience, ou irréflexion, ou encore irresponsabilité. Qu'il s'agisse d'une fausse manoeuvre sur la route pouvant dégénérer en accident, d'un mariage qui échoue, d'un problème financier ou de l'alcoolisme, au moins la moitié de tous nos maux sont la conséquence directe de nous-mêmes.

Dès lors, lorsqu'on s'adonne à l'examen des causes réelles d'un problème, il ne faudrait surtout pas oublier de bien s'analyser soi-même, ceci afin de voir jusqu'à quel point nous pourrions être en relation directe avec tel problème.

C'est toujours très avantageux de pouvoir bien identifier la cause réelle d'un problème. Par exemple, si, après une telle analyse, nous constatons que nous sommes la cause d'un problème quelconque, ce sera beaucoup plus facile pour nous de remédier au problème, étant donné qu'il est plus réalisable de se redresser soi-même que de parvenir à corriger les autres.

Une fois arrivé à ce stade de la solution d'un problème, il est temps maintenant de passer à l'étape suivante, c'est-à-dire celle qui nous permettra d'apporter des solutions pratiques à tel problème.

Encore une fois, il est approprié de se munir d'un crayon et d'une feuille de papier. Ensuite, il convient d'indiquer clairement par écrit quelques-unes des solutions convenables qui sont applicables dans la solution d'un problème quelconque. Ces solutions pourraient se définir ainsi: d'abord, la solution urgente, ou essentielle; ensuite, la solution pratique; enfin, la solution permanente, ou idéale. L'essentiel, le pratique et l'idéal, voilà la bonne marche à suivre lorsqu'on s'applique à définir des solutions applicables à un certain problème.

Par exemple, s'il pleut à boire debout et que le toit de votre maison coule, la solution qu'il faudra appliquer en présence d'un tel problème est la première, soit l'urgente ou l'essentielle. Placer une chaudière en-dessous de la fuite d'eau est à peu près ce qu'il y a de mieux à faire dans l'instant présent lorsqu'en présence d'un tel problème, surtout si la pluie n'en finit pas de tomber et si c'est l'hiver.

Ensuite, le lendemain, encore une fois si c'est durant l'hiver et qu'il fasse très froid dehors, il conviendra alors d'appliquer la deuxième solution, soit la pratique. Un morceau de papier goudronné et quelques bons clous judicieusement plantés serviront sans doute à apporter une solution temporaire à ce problème de fuite d'eau.

Mais une fois le beau temps arrivé, au printemps, il faudra absolument pratiquer la troisième solution, c'est-à-dire la permanente, ou l'idéale, ceci afin de solutionner une fois pour toutes le problème et ainsi empêcher que la mauvaise situation ne se répète l'hiver prochain. Peut-être faudra-t-il alors refaire une partie de la couverture, sinon toute.

Enfin, l'étape principle qu'il importe d'appliquer en vue d'en arriver à solutionner un problème est celle qui consiste à A-G-I-R. Oui, AGIR est primordial si l'on tient à solutionner une fois pour toutes quelque problème que ce soit.

Par exemple, si vous êtes constamment malheureuse à cause d'un problème d'embonpoint, il importe de comprendre que même si vous êtes parvenue à identifier clairement les causes réelles de votre problème, et même si vous avez bien présentes à l'esprit toute les étapes des solutions logiques à appliquer, sachez que tel problème ne se résoudra vraiment qu'à partir du moment où vous commencerez à AGIR. Il ne faut jamais perdre de vue le fait que toutes les meilleures intentions au monde ne valent pas la moindre petite action.

De nombreuses personnes gémissent dans la pauvreté et la misère pour la seule raison qu'elles ne se sont peut-être jamais décidées à AGIR dans le sens de l'instruction, la formation, le travail assidu et appliqué, ainsi que dans le sens de l'économie régulière. D'autres personnes traînent depuis trop longtemps une certaine forme d'obésité chronique, et n'en finissent pas de se lamenter et de gémir pour la simple raison qu'elles ne se sont peut-être jamais décidées à AGIR dans le sens de l'équilibre et la restriction alimentaires, ainsi que dans le sens de la maîtrise de soi.

D'autres encore végètent dans le tabagisme, ou l'alcoolisme pour la simple raison qu'ils ne se sont jamais décidés à AGIR dans le sens de la réflexion, l'abandon pur et simple, ainsi que dans le sens de la discipline personnelle. Ainsi, de nombreux problèmes humains semblent insolubles, non pas à cause de l'absence de solutions appropriées et permanentes, mais surtout à cause d'une certaine paresse chronique à l'égard de l'ACTION.

Enfin, il y a encore quelques autres suggestions pratiques qu'il convient d'appliquer lorsqu'on est confronté à un certain problème. Par exemple, se confier à une personne très fiable en qui l'on a une totale confiance. Ensuite, chercher des conseils pratiques auprès de personnes expérimentées afin de savoir ce qu'elles pensent de l'ensemble de la situation ainsi que des suggestions qu'il convient d'appliquer.

Mais attention! Il ne serait certainement pas sage d'aller raconter son problème personnel à n'importe quelle personne, surtout pas à des individus qui ne sont pas fidèles à l'égard des confidences, ou encore qui ont la langue un peu trop longue. Par contre, le seul fait de nous confier, ou d'ouvrir notre coeur à une personne digne de confiance, discrète, compréhensive, a toujours le don de nous procurer un apaisement, ou un soulagement immédiat.

Se confier à une personne compréhensive lorsqu'on est confronté à un problème quelconque, c'est comme recevoir l'aide d'une personne très forte lorsque nous sommes en train de porter un lourd fardeau. Oui, confier notre problème à un être bon et attentif, c'est comme le diviser à l'instant; il devient donc beaucoup moins lourd du seul fait de sa division, ou d'avoir reçu l'aide de quelqu'un pour nous aider à le porter.

De même, il convient aussi de se montrer prudent lorsqu'on demande des conseils à d'autres. Il importe de savoir qu'il existe malheureusement un trop grand nombre de «petit-jos-connaissants» qui disent n'importe quoi, voire qui donnent même des conseils, ceci aux seules fins d'attirer l'attention sur eux.

Lorsqu'on décide de glaner des conseils en vue de nous aider à solutionner un problème, il est très important de ne s'adresser qu'à des personnes qui ont elles-mêmes un mode de vie qui «garantit» hors de tout doute qu'elles sont absolument qualifiées pour transmettre des conseils pratiques à autrui. Il faut toujours garder bien présent à l'esprit que la moindre petite pratique est infiniment plus précieuse que la plus grande théorie, ou connaissance spéculative.

Encore une dernière chose qu'il est souvent approprié de faire lorsqu'on est soudainement confronté à un problème. C'est celle qui consiste à s'élever au-dessus de ses problèmes, un peu à la manière d'un hélicoptère qui s'élève graduellement de la surface du sol. Plus l'engin s'élève, moins les occupants se trouvent comme qui dirait bloqués visuellement sur un aspect quelconque du sol. Et plus l'hélicoptère prend de l'altitude, plus les occupants deviennent à même de voir, puis de contempler la vaste étendue des magnifiques décors et paysages qui s'offrent à leurs yeux.

Ainsi, plus l'on s'implique et s'applique dans la réalistion d'objectifs qui sont à la fois grands et nobles, moins on a conscience de nos petits problèmes quotidiens.

Le fait de s'impliquer et de s'appliquer à poursuivre et à réaliser quelque chose de grand et noble ne signifie pas que l'on ne prendra pas ses problèmes à coeur, ni qu'on négligera de les solutionner; mais cette façon de procéder nous évitera plutôt de gaspiller une certaine somme de nos énergies mentales dans l'énervement et le souci. Il arrive souvent que c'est en s'adonnant de tout notre être à une noble cause que l'on tombe pour ainsi dire, tout à fait par hasard, sur une solution à notre problème.

Résumons les grandes lignes du présent chapitre.

Comprendre d'abord qu'une journée de vie pourrait se comparer à un rosier. De même qu'un rosier est doté de superbes roses, il porte aussi des épines. Cependant, sans les épines pour les protéger, comment pourrions-nous avoir accès à la joie de cueillir les roses et savourer pleinement le plaisir de les sentir et les admirer? Ainsi, sans les problèmes quotidiens, comment pourrions-nous profiter pleinement de la merveilleuse cueillette des petites joies quotidiennes?

S'appliquer à garder tout son calme constitue la première étape à franchir lorsque l'on est confronté à un problème. Et un excellent moyen de parvenir à conserver notre calme, c'est de ne rien dire. Car il ne faut jamais perdre de vue le fait que les mots ont toujours une grande incidence sur l'esprit. Le fait de s'énerver et de s'irriter en paroles, ou en actes a toujours le don déplaisant de générer de nouveaux problèmes, ce qui, en fin de compte, ajoute inutilement au problème.

Une autre étape à franchir lorsqu'on est confronté à un problème, c'est de s'appliquer, dans le calme et la paix, à identifier clairement la, ou les causes réelles de tel problème. Il est très approprié de ne jamais rendre les autres responsables de notre problème; car cette façon de procéder n'aurait pas d'autre effet que de détourner notre attention de la cause réelle. Le processus servant à conduire à l'identification d'un problème sera plus aisément atteint si l'on prend le soin de tout inscrire clairement sur du papier.

Une fois parvenu à ce stade, il est vital de bien comprendre que la plupart des problèmes avec lesquels nous sommes confrontés sont, dans plus de cinquante pour cent des cas, le résultat direct de notre propre inexpérience, notre inattention, notre irréflexion, notre irresponsabilité, ou encore notre étourderie. Le fait de s'impliquer d'abord et avant tout dans la cause probable de notre problème nous sera très profitable lorsque nous aurons à appliquer une solution quelconque; car il convient de ne jamais perdre de vue le fait qu'il est infiniment plus facile, et à notre portée, de se redresser soi-même que de parvenir à corriger les autres.

Ce qu'il convient de faire ensuite, c'est d'identifier, toujours par écrit, les quelques solutions applicables à notre problème. Lesdites solutions pourront se classer comme suit: d'abord, la solution urgente, ou essentielle; ensuite, la solution pratique; enfin, la solution permanente, ou idéale. Il est très important d'inscrire clairement le tout sur du papier, car cette façon de procéder constituera en quelque sorte un genre de contrat que l'on passerait avec soi-même.

Enfin, l'étape la plus importante qu'il importe de franchir lorsqu'on tient à solutionner un problème quelconque, c'est celle qui consiste à AGIR. Pas demain, ni la semaine prochaine, et encore moins le mois suivant, mais commencer IMMÉDIATEMENT à AGIR dans le sens de la solution de tel problème. Il importe de ne jamais sous-estimer le fait qu'un tout petit pas sur la route constitue la première étape menant à une grande randonnée, ni le fait que l'heure qui est en cours est la première de l'éternité.

En conclusion, il serait sage de garder présent à l'esprit que le fait de se confier à une oreille attentive,

compréhensive et discrète, et aussi celui de rechercher des conseils pratiques auprès de personnes avi-
sées constituent deux autres excellentes étapes supplémentaires qu'il est toujours sage d'appliquer
lorsqu'on se trouve confronté à un problème qui semble dépasser le champ de nos capacités et de notre
expérience.

Et, dans l'attente que les choses se calment, il n'y
a rien de plus salutaire pour l'esprit et les facultés mentales que de s'impliquer et s'appliquer de tout son être
à la réalisation d'une cause qui soit à la fois grande
et noble. Car, plus l'être humain se grandit, moins
il a conscience de ses mille et un petits problèmes quotidiens. Qui sait si la solution du problème qui nous
tourmentait l'esprit ne se trouve pas au sein même
de la noble cause que l'on est en train de réaliser!

En guise de mot de la fin pour ce chapitre, il est
toujours réconfortant, voire agréable de comprendre
que si la vie nous remet un certain problème entre
les mains, c'est qu'elle nous juge apte à le résoudre;
et que, en fin de compte, la vie nous communique
souvent un problème aux seules fins de nous disci-
pliner et nous former en vue de la réalisation de quelque chose de grand et noble!

CHAPITRE 13

La souffrance, comme le feu, purifie

Si les problèmes sont communs à tous les êtres humains habitant la planète Terre, il convient de ne pas sous-estimer le fait que la souffrance est, elle aussi, un autre lot que l'on partage en commun. En effet, quel être humain n'est pas, à un moment ou l'autre de son existence, confronté à une certaine forme de souffrance, passagère ou chronique? La mort n'est-elle pas la preuve irréfutable que tous les êtres humains, quels qu'ils soient, sont pour ainsi dire appelés à souffrir?

Avant d'aller plus loin, il conviendrait d'établir une certaine distinction entre la souffrance et les problèmes. Bien qu'il arrive parfois que certains problèmes soient difficiles à subir, voire à solutionner, ils ne doivent pas être inclus dans le domaine de la souffrance, étant donné qu'une solution est la plupart du temps envisageable. Donc, afin de pouvoir parvenir à une meilleure compréhension du propos du présent chapitre, disons que tout problème pouvant être solutionné par une solution quelconque n'entre pas dans la catégorie de la souffrance.

Par contre, et toujours afin de mieux comprendre notre sujet présent, l'on définira la souffrance comme étant une sorte de problème auquel il n'existe aucune sorte de solution possible à appliquer.

Par exemple, si je souffre présentement d'un mal de dent atroce, je peux certes affirmer que je suis confronté à la souffrance. Cependant, étant donné qu'une solution est applicable pour pouvoir solutionner ma souffrance, je devrais plutôt mentionner que je suis confronté à un certain problème, entre autres un mal de dent qui me fait horriblement souffrir. Dès que la dent qui cause de la douleur sera enlevée, je serai alors débarrassé de mon problème. Donc, il serait plus convenable de dire que j'ai un certain problème, causé par le mal de dent, plutôt que de mentionner que je suis confronté à la souffrance.

Voici un autre exemple pouvant illustrer la différence qui pourrait exister entre la souffrance et un problème. Admettons que vous êtes enceinte depuis neuf mois et que vous allez accoucher d'ici quelques jours. Bien sûr, il est tout à fait probable que vous allez endurer une certaine somme de souffrances. Cependant,

216

il serait plus exact de dire que vous êtes confrontée à un problème, étant donné qu'il existe une solution applicable en vue de la solution de votre situation. Donc, le fait de devoir subir un accouchement, si douloureux soit-il, devrait entrer plus dans la catégorie des problèmes que dans celle de la souffrance.

Bien entendu, ces deux exemples sont le fruit de ma propre interprétation personnelle, ceci afin de rendre le sujet du présent chapitre distinct de celui du chapitre précédent.

Lorsque je fais mention de la souffrance dans le présent chapitre, j'ai à l'esprit cette sorte de souffrance à laquelle aucune solution humaine ne peut être applicable. La maladie chronique, la perte d'un être cher dans la mort, une infirmité, un défaut physique irréparable, la moquerie, la persécution, ce ne sont là que quelques-unes des situations qui devraient se rattacher à la souffrance comme telle, puisqu'aucune solution humaine ne peut être applicable, autant de la part de l'être qui souffre que par quiconque d'autre.

Pour les personnes non averties, il arrive souvent que les sortes de souffrances dont il est fait mention plus haut soient tout simplement insupportables. Ainsi, il n'est pas rare de rencontrer des personnes qui, ne pouvant pas supporter l'objet de leur souffrance, finissent par sombrer dans la dépression chronique, le découragement, la mélancolie, ou même l'abandon pur et simple de la vie.

Un jour, les journaux firent état qu'un artiste connu, confronté à un cancer, avait choisi de se donner la mort plutôt que de devoir endurer la souffrance à laquelle il était désormais confronté.

Si l'on peut être reconnu en partie, c'est-à-dire dans au moins cinquante pour cent des cas, responsable de ses propres problèmes, il n'en n'est pas ainsi avec la souffrance. La souffrance, contrairement aux problèmes, nous est souvent apportée par une série de circonstances pratiquement incontrôlables, ou plus exactement par une sorte de hasard aveugle.

Ainsi, un banal accident de la circulation rendra infirme pour la vie un jeune enfant qui, inconsciemment, s'adonnait à jouer à l'endroit précis où deux automobiles entrèrent en collision. Un bébé naîtra avec une certaine infirmité, le diabète ou la difformation d'un membre quelconque. D'autres se retrouveront soudainement contaminés par une maladie chronique, le cancer par exemple, contre laquelle ils ne pourront rien faire d'autre que souffrir sans aucun espoir de guérison. Encore, la mort, cette ennemie aveugle et cruelle de la race humaine, ne se gênera absolument pas pour priver une épouse et une maisonnée de la présence d'un mari et père, tout à fait indispensable.

Il y a tant de souffrances de toutes sortes qu'on pourrait parfois se demander s'il est humainement possible d'y retrouver son compte de petits bonheurs quotidiens à travers une telle anarchie de souffran-

218

ces qui sont toutes aussi cruelles les unes que les autres.

Oui, bien que cela peut sembler surprenant, c'est possible de cueillir, et de déguster son petit lot de petits bonheurs quotidiens, ceci même si l'on doit endurer parfois une certaine somme de souffrances. C'est tout à fait possible de connaître le bonheur de vivre à travers les affres de la souffrance, mais c'est possible uniquement à la condition de savoir affronter la souffrance d'abord, puis d'apprendre à l'apprivoiser ensuite. Car, aussi étrange que cela puisse paraître, la souffrance, telle un animal sauvage, peut s'apprivoiser, se domestiquer, c'est-à-dire que nous pouvons fort bien parvenir à vivre avec sans qu'elle nous cause trop de tort mental, moral, affectif et spirituel.

D'abord, il convient de bien comprendre que dans la presque totalité des cas, la souffrance est presque toujours physique. Ce qui signifie que si la souffrance physique a le don perfide de nous malmener physiquement, soit dans un aspect unique de notre être, n'empêche qu'elle ne peut parvenir à nous atteindre dans les autres facettes de notre individualité.

Admettons, par exemple, qu'à la suite d'une fausse manoeuvre avec une hache, vous vous coupiez le petit doigt de votre main gauche. Bien sûr, c'est dommage de perdre ainsi un bout du petit doigt; cependant, allez-vous vous empêcher de vivre à cause du fait que vous venez de perdre un centimètre du petit doigt de votre main gauche? Non, bien sûr! Il vous manque peut-être un bout de doigt, mais cela ne pourra en rien vous empêcher de continuer de vivre, de profiter abondamment de votre corps, et encore moins d'être heureux.

C'est ainsi qu'il convient d'envisager la souffrance physique. Comme la perte d'un bout de doigt. Il y a tant de facettes chez l'être humain que le fait de souffrir physiquement n'entrave en rien la faculté de jouir abondamment de la vie à travers les autres merveilleuses facettes, lesquelles sont autrement plus agréables que le physique.

L'être humain n'est pas qu'une entité exclusivement physique. Non, nous sommes en partie physique, certes, mais aussi et surtout mental, moral, affectif, spirituel; ce qui nous permet d'exploiter à fond, voire à l'infini, toutes nos facultés intellectuelles, notre intelligence, de raffiner nos émotions et nos sentiments; encore, de former notre caractère, d'accroître la somme de nos connaissances; enfin, d'exploiter à notre guise notre sens le plus fantastique et agréable qui soit, soit l'aspect spirituel de notre être.

Comme vous pouvez le constater, le fait d'être affligé d'une certaine souffrance dans l'aspect physique de notre être ne peut guère entraver le développement et la jouissance raisonnable de la vie dans toutes nos autres merveilleuses facettes.

On pourrait comparer la souffrance à un couteau de cuisine, ou encore à un couteau de boucherie. Un couteau, comme vous le savez bien, est doté de deux parties principales, voire essentielles: une longue et dangereuse lame, ainsi qu'un manche pratique et tout à fait inoffensif.

Il est bien certain que si jamais une personne manifestait l'envie de prendre un long couteau par son aspect le plus coupant et dangereux, c'est-à-dire par sa lame, telle personne courrait inévitablement le risque de se blesser. Par contre, il suffit tout simplement de prendre tel couteau par son aspect le plus pratique et le moins dangereux, c'est-à-dire par son manche, pour enfin parvenir à accomplir de l'excellente besogne, qu'il s'agisse de trancher du pain ou de la viande.

Pourtant, un couteau est toujours un couteau; qu'il s'agisse de la lame ou du manche, les deux parties sont indéniablement rattachées à un tout que l'on connaît par le nom de couteau. Ce qui importe le plus pour NOUS, c'est la manière que nous emploierons pour prendre le couteau en question. Ce n'est pas le couteau qui souffrira si jamais la tentation nous prenait de le prendre par sa longue et dangereuse lame; c'est NOUS. La manière dont nous prenons un couteau aura des conséquences, soit fâcheuses ou agréables et pratiques, le tout dépendant si nous avons choisi de prendre ledit couteau par sa lame ou par son manche.

Ainsi en est-il avec la souffrance. Se bloquer exclusivement et de tout notre être sur l'objet de notre souffrance physique, c'est exactement comme vouloir prendre un long et dangereux couteau par sa lame plutôt que par son manche. Une telle manière d'aborder sa propre souffrance est toujours dangereuse, pour nous-même bien entendu.

On pourrait comparer une souffrance quelconque à un couteau que la vie elle-même nous tend. Deux seuls choix s'offrent à nous: prendre tel couteau, c'est-à-dire notre souffrance chronique, par sa lame, ou son aspect le plus coupant et dangereux; ou bien le prendre par son aspect le plus pratique et le moins dangereux, soit son manche.

C'est exactement de cette façon qu'il convient de percevoir la souffrance personnelle et chronique avec laquelle vous êtes peut-être confronté: un long couteau que la vie elle-même vous tend et met à votre entière disposition.

Faudrait-il oser prétendre que la vie nous remet un couteau, c'est-à-dire une certaine souffrance, afin de nous inciter à la destruction, ou au suicide de tout notre être? Absolument pas. Lorsqu'un cuisinier, ou un boucher s'empare d'un couteau, doit-on en conclure qu'il a l'intention de se suicider, ou de tuer quelqu'un? Absolument pas. Qui a dit que les couteaux avaient été fabriqués dans le seul but d'amener les gens à se suicider, ou encore à assassiner les gens?

Bien sûr, il y a des individus qui se blessent en voulant travailler avec un couteau. Il y en a aussi qui s'emparent d'un couteau afin de tuer une personne. Mais il serait déraisonnable d'arriver à la conclusion que tous les couteaux, de cuisine ou de boucherie, sont tous des instruments de blessures et de mort, uniquement parce qu'une infime minorité d'individus se blessent, ou encore tuent leurs semblables.

Ainsi en est-il de la souffrance. Si la souffrance n'avait pour but unique que d'amener les êtres humains à la destruction, voire au suicide et au meurtre, on pourrait qualifier Dieu lui-même de cruel, étant donné qu'il l'a souvent permise dans le passé, même à l'égard des êtres auxquels il tenait le plus. L'Evangile ne dit-il pas que Jésus lui-même dut endurer de nombreuses souffrances!

Le fait d'apprendre à percevoir une souffrance comme un outil précieux, un couteau par exemple, nous sera toujours grandement profitable. Par exemple, à quoi sert un couteau? Lorsqu'un tel outil est manié par les mains expertes d'un boucher, il a toujours le don de rendre toutes sortes de services inestimables et bien agréables pour nous, surtout pour notre alimentation et les délices de notre palais.

De même, lorsqu'on s'applique à percevoir la souffrance avec laquelle nous pourrions être confronté exactement comme un outil très pratique que la vie elle-même remet entre nos mains, cette façon de percevoir ladite souffrance ne pourra pas faire autrement que nous aider à améliorer, voire raffiner au plus haut point toutes les autres facettes de notre prodigieuse personnalité, soit l'aspect moral, le mental, l'affectif, l'intellectuel et le spirituel.

On pourrait encore comparer la souffrance au feu de forge d'un forgeron. Le feu de forge fait pour ainsi dire du mal à la pièce de métal lorsqu'il la chauffe à blanc. Cependant, quand le métal, une fois ramolli, est habilement manipulé par les mains expertes du forgeron, il finit par se transformer en un article pratique et parfois artistique. Que dire du fer forgé, par exemple! Si le feu n'avait pas chauffé à blanc certaines pièces de métal à leur état brut et rugueux, telles pièces ne seraient jamais devenues les superbes articles en fer forgé que nos yeux ne se lassent pas de contempler et d'admirer.

Vu sous un angle purement sentimental, on pourrait être amené à penser que le feu fait en quelque sorte du mal aux différents corps minéraux, tels l'acier, l'or, l'aluminium, le nickel, et tous les autres du genre. Mais que pourrions-nous donc obtenir de tels produits à leur état brut s'ils n'étaient pas d'abord passés à travers la souffrance du feu, soit pour être raffinés d'abord et moulés ensuite?

Comment pourrions-nous profiter des pièces de monnaie de toutes sortes, des automobiles, des horloges, des ponts, des avions, si tous les matériaux durs avec lesquels ils sont fabriqués n'avaient pas d'abord été attendris, purifiés et moulés dans le processus de l'épreuve du feu, ou de la souffrance?

Alors, si nous gardons bien présent à l'esprit que la souffrance chronique est comparable à un couteau, ou au feu qui transforme les métaux, elle deviendra bien plus supportable. Bien plus, grâce à une telle attitude positive de notre part, il pourrait même nous arriver parfois de nous surprendre à remercier la vie de nous avoir privilégié du prodigieux don de la souffrance.

Je connais un ancien sportif qui, autrefois, n'en finissait pas de se tenir en forme physique. Ce pauvre garçon avait toujours un nouveau défi à relever. Il était doté d'une énorme force physique, ce qui, bien entendu, suscitait l'envie des autres sportifs de sa catégorie. Un jour, un grand malheur est arrivé à ce grand sportif. Il a perdu l'usage de ses deux jambes lors d'un accident d'automobile. Handicapé, et ne pouvant plus s'adonner à la pratique de ses activités sportives, il était parvenu au bord de la dépression quand, un beau jour, il eut le privilège de faire la connaissance d'une personne avisée dans l'art de redonner du moral et du courage aux autres.

A force de paroles persuasives, la personne en question réussit à amener cet ex-sportif déprimé à considérer, ou percevoir sa souffrance permanente un peu comme une sorte de bénédiction que la vie elle-même lui faisait. Grâce à sa souffrance, l'homme en question parvint à comprendre qu'il disposait dorénavant de tout le temps dont il avait besoin pour pouvoir s'adonner à toutes sortes d'autres activités, beaucoup moins stressantes pour le corps et aussi beaucoup plus valorisantes pour l'esprit.

C'est à partir de ce moment-là que notre ex-sportif décida de s'impliquer sérieusement dans l'art de la musique. Il avait toujours éprouvé un certain goût pour cet art; cependant, à cause de toutes ces compétitions sportives qu'il devait constamment affronter, son corps était tellement fatigué qu'il ne lui restait pas suffisamment d'énergie mentale pour pouvoir s'adonner à la musique dans ses moments de loisirs. D'ailleurs, avec toutes les pratiques auxquelles il devait s'adonner, toujours afin de battre des nouveaux records qui devenaient de plus en plus ardus, il n'avait guère le temps de pratiquer la musique.

Aujourd'hui, cet homme, bien qu'handicapé en permanence, est très heureux de pouvoir enfin s'adonner à sa guise à cette nouvelle et stimulante carrière que constitue la musique. La pratique de ce nouvel art l'a graduellement amené à réaliser que le fait d'être privé d'une certaine facette de son être était loin de l'empêcher de profiter raisonnablement de tout le délicieux bonheur de vivre que la vie elle-même met généreusement à sa portée.

Une jeune mère de famille eut le malheur de subir un grave accident qui la paralysa en permanence dans toute la partie inférieure de son corps. Après avoir passé une année entière à digérer sa souffrance, et à remettre sa vie en question dans tous les sens, cette brave jeune femme découvrit, tout à fait par hasard, qu'elle était dotée d'un don inné pour la peinture.

Aujourd'hui, plusieurs années plus tard, cette heureuse personne ne passe pas une journée sans prendre le temps de remercier Dieu et la vie de tout le bonheur de vivre qui est sien quotidiennement. Voyez-vous, cette femme s'est sagement servie de sa souffrance afin de raffiner au plus haut point quelques-uns des autres prodigieux aspects de sa personne.

Un handicapé chronique de naissance ne parvenait pas à accepter la souffrance permanente avec laquelle il devait composer durant toute son existence. Aussi, au seuil de la vingtaine, la décision lui vint-il d'en finir une fois pour toutes avec cette vie de souffrance qui était désormais sienne. Mais ayant raté son suicide, le pauvre garçon se retrouva encore plus handicapé qu'auparavant.

Mais voilà qu'au moment même où il était descendu au plus creux de lui-même, et que toute la vie lui paraissait terne et triste, le jeune homme en question eut l'heureuse fortune de rencontrer une certaine personne qui l'aida au plus haut point à bien voir clair dans sa vie d'abord, puis ensuite à apprendre l'art consistant à savoir découvrir et développer au maximum les autres prodigieuses facettes de son être.

Aujourd'hui, après seulement quelques années d'études assidues, notre ex-découragé est devenu un avocat habile et rempli de courage et de talent. Il est pétillant de joie et d'énergie, et tous ceux et celles qui ont le grand privilège de le côtoyer se sentent instantanément remplis d'une prodigieuse dose de positivisme à l'égard de la merveilleuse vie.

Voilà, en fin de compte, le fantastique pouvoir de la souffrance. Abordée et perçue par son aspect le moins dangereux et le plus pratique, la souffrance, telle un couteau de boucherie, peut se transformer en outil fort efficace lorsqu'elle est adroitement manipulée.

Voici, résumé en quelques mots, ce que constitue le prodigieux pouvoir de la souffrance: nous amener graduellement à détourner les yeux des aspects éphémères de notre personne et les orienter plutôt sur les facettes les plus spectaculaires et glorieuses qui composent notre individualité. On dirait que la souffrance a pour fonction exclusive de nous amener, petit à petit, à oublier les aspects de notre être qui se détériorent et se corrompent, soit notre organisme physique par exemple, et nous catapulter vers les aspects glorieux qui sont appelés à demeurer en permanence, c'est-à-dire notre caractère, notre personnalité, notre amour, notre bonté, en somme tout ce qui est étroitement rattaché aux aspects immatériels de notre être: le mental, l'intellectuel, le moral, l'affectif, le sentimental, le spirituel, si on peut les définir ainsi.

Le pouvoir de la souffrance est tout simplement prodigieux car, comme le feu qui transforme des pièces de métal rugueuses en précieuses pièces de monnaie et de collection, de même, elle a le fantastique pouvoir de nous récolter à notre état brut et rugueux et nous transformer en un merveilleux produit fini, un produit précieux et utile pour l'ensemble de la communauté humaine.

Sans le feu de la souffrance physique, qui sait si nous ne tomberions pas dans le piège de la vantardise, ou encore dans celui de l'orgueil, la présomptiom, voire l'égoïsme! D'ailleurs, le fait est depuis longtemps reconnu qu'il arrive souvent que plus un individu constate qu'il est doté de certains avantages physiques, moins il a tendance à développer les aspects intérieurs de son être.

Bien entendu, je ne veux pas dire par là que le seul fait d'être désavantagé physiquement ait le don miraculeux de nous transformer automatiquement en une personne bonne et désirable, ni non plus de raffiner notre personnalité ou de transformer notre caractère. Non, car tant et aussi longtemps qu'une personne ne se prend pas sérieusement en main afin de se développer intérieurement, ce n'est pas le fait d'être uniquement désavantagé physiquement qui constitue en soi une certaine potion magique.

Mais malgré le fait que la souffrance ait le pouvoir de nous handicaper physiquement, n'empêche qu'elle est aussi dotée d'un autre fantastique pouvoir, beaucoup plus prodigieux et positif que le premier. Son grand et noble pouvoir réside dans le don dont elle dispose de nous détourner de la facette de notre être susceptible de générer une certaine forme d'orgueil et ainsi nous amener à dégénérer dans l'égoïsme; et nous aligner sur la voie intérieure de notre être, soit celle-là même qui nous conduira irrémédiablement vers le BONHEUR DE VIVRE.

Il importe de ne jamais perdre de vue le fait que l'être humain que l'on est n'est pas du tout comme les animaux. S'il suffit qu'une bête soit handicapée physiquement pour l'amener automatiquement à son inutilité et à sa fin, il est loin d'en être ainsi de l'être humain. L'être humain est doté de tant de prodigieuses et merveilleuses facettes intérieures, toutes aussi fantastiques les unes que les autres, qu'il est pratiquement impossible de détruire ce magnifique chef-d'oeuvre divin. D'ailleurs, la grande promesse et garantie de la résurrection des personnes ne vient-elle pas confirmer le fait que l'être humain désirable est pratiquement indestructible!

Si l'aspect physique de l'être humain semble plutôt fragile en comparaison des animaux, il n'en n'est pas ainsi des autres facettes qui composent notre être. Que dire de l'esprit humain? Que dire maintenant de l'intelligence, la mémoire, les sentiments, les émotions; les facultés d'aimer, de penser, raisonner, réfléchir, décider, planifier, ainsi que de tous les dons innés qui ne cessent de nous orienter vers le sens de la recherche et de la créativité? Enfin, que dire du fantastique don de la parole, de l'écriture, du chant? En fin de compte, notre seul aspect physique n'est rien en comparaison de toutes les autres prodigieuses facettes intérieures qui sont nôtres.

Pour un bref instant, pensons au cerveau qui est

230

à l'intérieur de notre tête. Bien qu'ayant plutôt l'apparence d'une cervelle bien ordinaire, notre indescriptible cerveau renferme pas moins de cinquante milliards de cellules qui ne demandent pas mieux que d'être découvertes, remplies et utilisées à satiété. Comment un être humain, ne développant ne serait-ce qu'une infime fraction du potentiel de son cerveau, pourrait-il bien avoir le temps de s'ennuyer, se décourager, voire de se sentir malheureux?

Je connais un assez grand nombre de personnes âgées qui, après avoir franchi le cap de la retraite, ont sombré dans la mélancolie, l'ennui, la tristesse, la solitude, le découragement, ce qui les a finalement amenées à s'échouer en catastrophe sur les récifs du «mal de vivre». Par contre, j'en connais d'autres qui, bien loin de souffrir du mal de vivre, n'en finissent pas de savourer du bonheur de vivre à satiété.

Ces dernières, plutôt que de végéter dans l'oisiveté, ont retroussé pour ainsi dire leurs manches intérieures et se sont attelées à la tâche consistant à réaliser tout ce dont elles avaient envie depuis tant d'années. Lecture, étude, écriture, peinture, langues, voyages, spiritualité, secourisme, aide et consolation aux moins expérimentés, ce ne sont là que quelques-unes des nouvelles activités vers lesquelles se sont orientées toutes les personnes âgées, positives et pétillantes de joie de vivre que je connais.

Alors, si jamais la souffrance physique venait à vous handicaper un jour, ou si c'est votre lot actuel, sachez

231

et comprenez bien que l'être humain, contrairement aux animaux, est doté d'innombrables autres facettes intérieures qui ne demandent en fait qu'une chose: être découvertes d'abord, et explorées ensuite.

De toute façon, ce n'est pas le fait de posséder deux longues et fines jambes, ou une bouche en forme de coeur qui peut avoir quelque incidence sur notre bonheur de vivre. Ce n'est pas avec les yeux, ni non plus avec la taille, les pieds ou la couleur de la peau que l'on est heureux, ou malheureux. Non, c'est au niveau de l'esprit et du coeur que tout ce qui a trait au bonheur ou au malheur se déroule.

Au cours de ma vie, j'ai rencontré des personnes de race noire qui étaient malheureuses et d'autres, aussi de race noire, qui n'en finissaient pas d'être rassasiées de bonheur de vivre. J'ai aussi rencontré des personnes de race blanche qui, bien que vivant à peu près dans les mêmes conditions de vie, étaient soit heureuses ou malheureuses. J'ai rencontré des personnes très avantageusement dotées physiquement, et très fortunées, qui se lamentaient et végétaient dans la dépression et la solitude. Par contre, j'en ai rencontré d'autres qui, bien qu'infirmes, fort désavantagées autant monétairement que physiquement, avaient le don prodigieux d'exercer une puissante attraction positive chez ceux et celles qui avaient l'heureux privilège de les côtoyer.

Non, le bonheur de vivre ne dépend absolument pas de quelque chose de physique, ou de matériel, mais plutôt de notre manière de percevoir les gens et les événements avec notre esprit, ainsi que la façon dont nous les sentons avec notre coeur.

Tout être humain, qui qu'il soit, et quelle que soit sa situation, souffrira inévitablement du mal de vivre s'il s'obstine à vouloir demeurer bloqué mentalement sur l'aspect de son être qui se trouve handicapé par une souffrance quelconque. Par contre, tout être humain, qui qu'il soit, et quelle que soit sa condition, sera en soi une grande source génératrice de joie intérieure et de bonheur de vivre extérieur si tel être cultive la sage attitude qui consiste à découvrir et exploiter à fond les innombrables et merveilleuses facettes intérieures de son être.

En conclusion, gardons toujours bien présent à l'esprit que ce n'est pas dans la jouissance, mais plutôt dans la souffrance que l'on parvient le mieux à opérer la purification de soi!

CHAPITRE 14

Développer une attitude mentale équilibrée

L'équilibre est une condition essentielle à cultiver pour quiconque aspire au bonheur de vivre. Tout ce qui est équilibré a le don de contribuer au bonheur de vivre de l'être humain. Le déséquilibre engendre l'anarchie et le malheur, tandis que l'équilibre est toujours source de sécurité, d'harmonie, de joie de vivre.

Voici quelques exemples qui appuient très bien le fait que l'équilibre est vital pour assurer notre bonheur quotidien. Par exemple, que dire du boire et du manger? S'il est essentiel pour l'être humain de boire et manger, voire vital même, ce peut être par contre néfaste et dangereux pour la santé que de manquer d'équilibre dans ces deux aspects vitaux de l'activité humaine. Trop manger, ou trop boire, ou encore ne pas manger du tout ni boire, voilà qui peut fort bien engendrer le déséquilibre physique et psychique, et finalement conduire à la maladie ainsi qu'à une mort certaine.

Le même équilibre prévaut aussi dans le domaine du sommeil. S'il est essentiel de dormir de façon régulière, ce serait par contre dangereux de trop dormir, ou encore de refuser de dormir.

La même loi de l'équilibre prédomine aussi dans le domaine du travail ainsi que dans les loisirs. Le fait de trop travailler peut être une source de tensions de toutes sortes, de fatigue; ce qui, finalement, peut fort bien conduire à la maladie de tout l'organisme. Par contre, trop de loisirs voire trop de repos, peut mener directement à la paresse, ce qui, en retour, a toujours le don d'engendrer la pauvreté, le besoin, ainsi que la misère et le souci.

A n'en pas douter, on peut donc retirer la conclusion que l'équilibre et le bonheur de vivre son inséparablement liés l'un à l'autre. Le bonheur de vivre se doit donc d'être en tout temps cultivé dans un champ engraissé d'équilibre pour qu'il soit assimilable par l'être humain.

236

Mais que signifie pour l'être humain le fait de s'appliquer à rechercher l'équilibre en tout? Comment pouvons-nous parvenir à développer en soi une nature raisonnablement équilibrée? Voilà des questions qui feront l'objet du sujet du présent chapitre.

Le temps est probablement l'une des premières choses que l'être humain désireux de parvenir à l'équilibre se doit d'apprendre à maîtriser, ou harmoniser avec sa propre vie.

Chacun de nous doit réaliser chacune de ses journées de vie à l'intérieur d'un espace de temps qui comprend une tranche de vingt-quatre heures. En ce qui concerne le temps, il convient de comprendre que tous les êtres humains habitant la planète Terre se trouvent sur un même pied d'égalité. Donc, étant donné la prise de conscience à l'égard de cette règle précise en rapport avec le temps, il nous faut donc apprendre à bien équilibrer notre propre lot de temps si nous voulons pouvoir profiter le plus possible de notre existence personnelle.

Chaque nouvelle journée qui se présente à nous apporte avec elle son lot de responsabilités quotidiennes, qui nous incombent et auxquelles il nous est absolument impossible de nous soustraire. Par exemple, nous devons travailler quotidiennement afin de pouvoir subvenir à nos mille et un petits besoins journaliers. Ensuite, nous devons préparer et absorber nos repas. Encore, il nous faut nous nettoyer, nous laver, tenir notre lieu d'habitation en bon ordre et le plus propre possible. Enfin, nous devons absorber certaines informations pratiques, ceci afin de ne pas négliger notre formation mentale, intellectuelle et spirituelle; sans non plus oublier le fait qu'à travers toutes ces besognes essentielles, nous devrons aussi trouver le temps de nous distraire et aussi nous reposer. Ce sont là des activités essentielles et quotidiennes qui incombent à chacun de nous et auxquelles nous ne pouvons absolument pas nous soustraire.

Il n'est donc pas trop difficile de comprendre que si nous voulons pouvoir parvenir à nous acquitter des nombreuses tâches essentielles que nous avons à réaliser à l'intérieur d'une période de temps de vingt-quatre heures, c'est-à-dire une journée de vie, il est absolument vital pour nous d'apprendre à bien équilibrer notre héritage temps. Bien gérer notre temps est pour ainsi dire vital à notre bonheur de vivre.

Il va sans dire qu'un horaire soigneusement établi, et respecté à la lettre est sans contredit l'outil par excellence qu'il convient de mettre à notre disposition personnelle si nous tenons à gérer convenablement notre temps quotidien.

Apprendre à équilibrer nos revenus ainsi que nos dépenses constitue assurément une autre chose essentielle qu'il convient de savoir équilibrer au mieux, et ceci le plus tôt possible dans la vie. Il importe de bien comprendre que la vie réserve parfois de bien mauvaises surprises à qui manque d'équilibre dans le domaine de ses revenus et dépenses. Manquer d'équilibre dans ce secteur aussi vital de l'activité humaine, c'est s'exposer à devoir récolter tôt ou tard une pluie torrentielle de nombreux déboires.

La qualité de nos repas quotidiens ainsi que la quantité de nourriture qu'il importe d'absorber est aussi une autre chose importante qu'il est essentielle d'apprendre à bien équilibrer. Car, si le fait de trop manger court le risque de nous catapulter dans la mauvaise santé, n'empêche que le fait de ne pas manger assez, ou de mal se nourrir, n'est pas plus raisonnable pour l'être humain.

La sorte de gens que nous fréquenterons constitue encore une autre activité humaine essentielle à laquelle nous devons absolument accorder toute notre attention. Il est très important d'apprendre à bien équilibrer la qualité de nos amis et amies si nous tenons compte de cette très vieille maxime qui atteste que celui qui fréquente les sages deviendra sage, mais, par contre, qu'il arrivera sûrement malheur à quiconque a des rapports avec les stupides. Progresser ou dégénérer est le lot qui attend celui, ou celle qui sait équilibrer dans un sens ou l'autre la qualité de ses fréquentations.

Vu le fait que c'est surtout à travers son travail, ou les oeuvres de ses mains que l'être humain est le mieux à même d'extérioriser la sorte d'individu qu'il est intérieurement, il devient donc essentiel de savoir équilibrer la sorte d'emploi auquel nous choisirons de nous adonner. Equilibrer notre emploi de façon que l'on puisse se livrer à un travail valorisant à travers lequel nous deviendrons à même de nous épanouir le plus possible constitue une autre activité humaine très importante qu'il ne faudrait, au grand jamais, abandonner entre les mains du hasard.

Notre société moderne nous ayant avantagés d'un plus grand nombre d'heures de loisirs de toutes sortes, il est devenu essentiel de savoir équilibrer cet autre secteur de l'activité humaine. Il y a tant de loisirs dévalorisants et tout à fait négatifs à notre époque qu'il serait tout simplement impossible de s'y retrouver sans la mise en place d'un excellent équilibre dans ce domaine.

La cellule conjugale et familiale de notre temps étant devenue pas mal hasardeuse de nos jours, il ne serait certainement pas sage de s'aventurer dans cette voie si importante pour l'être humain sans d'abord s'appliquer à équilibrer nos sentiments à l'égard des personnes de l'autre sexe. Il importe de savoir que le fait de ne pas se marier peut priver l'être humain de mille et une petites joies quotidiennes; mais aussi que le fait de se précipiter dans l'aventure conjugale, sans se doter d'une dose d'équilibre à toute épreuve, peut s'avérer être l'une des pires catastrophes pouvant arriver à deux êtres.

Donc, apprendre à équilibrer notre temps, notre argent, notre régime alimentaire, notre emploi, nos fréquentations, nos loisirs, notre mariage, ce ne sont là que quelques-unes des facettes de l'activité humaine qu'il importe de s'appliquer à bien équilibrer, ceci afin de ne pas glisser sur la pente irréversible de la dérive, la frustration, le chagrin et le mal de vivre. Mais les secteurs qu'il nous faut équilibrer, en tant qu'être humain, ne s'arrêtent pas là. Il y a une foule d'autres aspects de notre vécu quotidien que nous devons absolument apprendre à équilibrer au mieux si nous voulons nous assurer la récolte d'un bonheur de vivre qui soit à la fois sain, raisonnable, harmonieux, ajusté à notre propre mesure, durable, et générateur de joie intérieure et de paix extérieure.

Si l'on tient à développer un mode de vie qui soit à la fois sain, agréable et générateur de joie de vivre, il importe d'apprendre à équilibrer au mieux toutes les facettes psychologiques, morales et spirituelles de notre être. Examinons ces aspects qu'il convient de s'appliquer à équilibrer.

Il y a surtout les émotions. Les médecins savent bien que les émotions mal contrôlées, ou déséquilibrées, sont en grande partie responsables des nombreux maux qui affectent notre société moderne. Toujours selon les médecins, les émotions mal contrôlées seraient responsables d'un stress déséquilibré, de certaines formes de tension, d'indigestion, de maux d'estomac, les insomnies, la violence sous toutes ses formes, les crimes passionnels ainsi que le suicide. Comme on peut le constater, il s'avère donc très important de bien équilibrer nos émotions.

Nous sommes aux prises avec un déséquilibre émo-

241

tionnel lorsque nous nous rendons compte que nous nous en faisons un peu trop avec les petites peccadilles de l'existence. Par exemple, si votre meilleure amie vous taquine en vous disant que vous semblez avoir quelque peu engraissé, et si vous passez toute une nuit blanche à vous tracasser à propos des quelques remarques de votre amie, alors vous pouvez être assurée de souffrir d'un problème de déséquilibre émotionnel.

Si, à la suite d'une remarque quelconque, justifiée ou injustifiée, vous en faites une montagne, alors soyez convaincu que vous souffrez d'un déséquilibre émotionnel. La rancune, la haine, les larmes injustifiées, l'obstination, l'indécision, l'exagération, les manies, la tendance aux extrêmes, ce ne sont là que quelques-uns des symptômes indiquant qu'il y a un certain déséquilibre émotionnel qui couve à quelque part à l'intérieur d'une personne.

Pour être bien dans sa peau, comme on dit, et goûter pleinement tout le bonheur de vivre que la vie met quotidiennement à notre portée, il est essentiel de s'appliquer à bien équilibrer toutes nos émotions. Autrement, sans un juste encadrement d'équilibre, nos émotions, telles la joie, l'amour, la haine, la bonté, et toutes les autres, pourraient vite dégénérer en complexes, voire en problèmes beaucoup plus graves.

On apprend à équilibrer nos émotions en s'appliquant à considérer les gens, les choses, les événements et les circonstances de la vie à travers leur réalité complète, c'est-à-dire à travers tout leur contexte, à eux, et non pas à travers nos seuls sentiments du moment. Considérons quelques exemples afin de mieux illustrer notre propos.

Ouvrez votre porte-monnaie et prenez une pièce de vingt-cent cents. Eloignez cette pièce de vos yeux, tournez-la dans tous les sens et appliquez-vous à vous concentrer uniquement sur la valeur globale de ladite pièce, et non sur son aspect comme tel. Que constatez-vous? Si vous vous concentrez exclusivement sur la valeur globale de la pièce de monnaie qui est placée à portée de votre vue, vous réalisez que telle pièce constitue une valeur monétaire de vingt-cinq sous, n'est-ce pas!

Maintenant, approchez la pièce de monnaie tout près de vos yeux et observez attentivement l'une de ses facettes, par exemple celle sur laquelle figure un buste de bête. Oubliez la valeur de la pièce et concentrez-vous exclusivement sur l'aspect du buste de la bête. Voyez-vous, en vous concentrant un peu trop sur une seule facette de la pièce, soit celle sur laquelle figure une bête, vous finirez par réaliser que la pièce en question a plutôt l'air bête.

Enfin, tournez la pièce du côté de la tête de la reine et observez-la attentivement. Observez bien cette facette de la pièce, tout en vous efforçant d'oublier la valeur monétaire de ladite pièce. Vous voyez maintenant, à force de vous concentrer sur l'aspect glorieux de la pièce, vous finissez par oublier son autre facette, soit celle qui a l'air plutôt bête.

Comme vous venez de le constater avec cette petite expérience, votre pièce de monnaie, bien que dotée de deux aspects, un aspect pour ainsi dire bête et un autre pour ainsi dire glorieux, conserve toujours sa valeur monétaire, c'est-à-dire vingt-cent cents. Le fait d'être dotée de deux aspects tout à fait opposés ne change strictement rien tant qu'à la valeur de la pièce en question.

Pour apprendre à équilibrer nos émotions à l'égard des gens, des choses de la vie, des circonstances et des événements, il convient de pratiquer l'art qui consiste à toujours voir et percevoir les gens et les choses de la vie à travers leur entité GLOBALE et non pas à travers un seul de leurs aspects.

Les gens, les choses de la vie, les événements et les circonstances sont en tous points comparables à autant de pièces de monnaie. D'un côté, il y a la bête; et de l'autre, il y a la gloire. Ce qui signifie que chaque personne, chaque journée de vie, chaque événement, chaque chose, ou chaque circonstance se trouve pour ainsi dire doté d'un bon et d'un mauvais côté. Voir et percevoir à travers un seul aspect, c'est courir le risque de glisser vers l'exagération, voire le jugement déformé.

La valeur des gens qui nous entourent ne dépend absolument pas de leurs manquements à notre égard, ni non plus ne dépend des faveurs qu'ils pourraient nous témoigner. Non, la valeur de tout être humain dépend de la valeur globale que le Créateur de la vie a bien voulu accorder à tous les individus faisant partie de la famille humaine.

Il importe donc de savoir voir et percevoir les gens à travers leur valeur GLOBALE, c'est-à-dire à travers leur entité d'êtres humains, avec des bons et des mauvais aspects, tout comme nous personnellement. Il faut apprendre à voir et à accepter de tout coeur tous les êtres humains, et aussi savoir les aimer, non pas à travers le bien ou le mal qu'ils nous font, c'est-à-dire non pas à travers nos sentiments seulement, mais à travers ce qu'ils représentent, soit des êtres tout comme nous, créés pour faire partie intégrante de la grande famille humaine.

Insister pour mesurer les gens à travers les sentiments du moment qu'on leur porte, soit dépendant des actes de générosité qu'ils posent à notre égard, ou des méfaits qu'ils nous occasionnent, c'est s'exposer au déséquilibre émotionnel chronique. Par contre, on n'est jamais désappointé, ni déçu quand on s'applique à considérer toutes les personnes qui nous entourent à travers leur valeur fondamentale humaine, celle que Dieu lui-même a jugé bon d'assigner à tous les membres de la grande société humaine.

Cette façon de considérer les autres nous sera très utile pour parvenir à équilibrer nos jugements à l'égard des autres. Le fait de mal juger les autres constitue une grave entrave dans les relations humaines de notre temps. En effet, nos jugements à l'égard des autres sont tellement déformés qu'on en est arrivés à croire dur comme fer que toute la valeur d'un être humain ne dépend exclusivement que d'un acte, geste, ou une seule parole de sa part.

Par exemple, on a entendu dire que telle personne avait causé un certain tort à une autre personne, et, immédiatement, nous sautons à la conclusion qu'effectivement il faudra classer cet individu dans la catégorie des grands malfaiteurs. Une personne semble nous en vouloir, et, immédiatement, nous sautons à la conclusion que telle personne ne nous aime pas, c'est donc une ennemie. Une autre personne n'en finit pas de nous louanger, et, immédiatement, nous sautons à la conclusion que telle personne doit certainement nous aimer, c'est donc une amie.

Vous voyez, nos jugements à l'égard des autres sont rendus tellement déformés par nos propres sentiments qu'il nous est rendu difficile de savoir à qui nous avons affaire dans nos nombreux contacts avec les gens.

S'appliquer à voir clair et à percevoir les êtres qui nous entourent à travers leur entité GLOBALE nous sera toujours très utile, autant pour nous aider à nous supporter les uns les autres, sans s'énerver, que pour parvenir à équilibrer nos jugements à l'égard de nos semblables.

Ainsi, le fait de savoir bien équilibrer nos émotions à l'égard des personnes nous rendra plus sensible aux sages conseils qui nous sont souvent promulgués par nos semblables. De plus, plus nous développerons l'aptitude de l'équilibre émotionnel, moins nous serons chatouilleux, ou susceptible aux divers commentaires des autres.

Considérons un autre exemple, si vous le voulez bien.

Avez-vous déjà pris le temps de contempler un portrait sur lequel figurait un magnifique paysage forestier? «Que c'est donc beau!» Sans doute vous êtes-vous exclamé ainsi à la vue d'un décor photographique aussi splendide.

Mais si vous êtes déjà allé faire une randonnée dans une forêt, vous avez sans doute remarqué que les arbres, perçus individuellement, sont loin de ressembler au superbe paysage qu'on aurait déjà été à même d'admirer sur une photo, une carte postale, ou une peinture. Pourtant, qu'on ait admiré une forêt sur une photo, ou que l'on ait circulé à pied dans cette même forêt, le décor n'a absolument pas changé.

Alors, comment se fait-il que nous soyons autant emballé à la vue d'un beau paysage illustré sur une photo, ou une peinture, et que nous soyons parfois aussi déçu lorsque nous nous promenons à pied à travers le même paysage? Est-ce le paysage qui a changé? Absolument pas. C'est notre façon de voir les arbres qui s'est graduellement déformée, et non la forêt comme telle.

Notre déformation visuelle provient du fait que lorsque nous regardions la photo de la forêt en question, nous contemplions le paysage globalement; tandis qu'une fois rendu dans ladite forêt, nous nous mettons soudain à observer chaque arbre individuellement. A force de trop nous approcher de chaque arbre, nous ne pouvons donc pas faire autrement que de constater qu'un tel est croche, qu'un autre n'est pas tout à fait droit, qu'un autre encore est trop haut, enfin qu'un quatrième n'est pas assez grand, etc. Vous voyez, ce n'est pas la forêt qui a changé; c'est le fait de trop nous coller sur chaque arbre en particulier qui a contribué à la déformation de notre perception visuelle.

Il en est de même avec les êtres qui nous entourent. Le fait de trop nous coller aux gens, c'est-à-dire d'adapter un esprit trop critique à leur égard, déformera au plus haut point notre perception des autres. La critique a toujours le don déplaisant d'orienter le critiqueur vers les paroles négatives et les gestes détestables qui sont posés quotidiennement par les autres.

Par contre, si l'on cultive l'art qui consiste à savoir considérer les êtres à travers l'ensemble de leur propre contexte de vie, nous finirons graduellement par les trouver aussi beaux que le magnifique paysage que nous avons déjà contemplé sur une photo de forêt. Donc, voir les êtres dans leur ensemble de vie, et non pas se bloquer obstinément sur un seul de leurs points faibles constitue, à n'en pas douter, une excellente façon de parvenir à les trouver beaux, les accepter, les supporter, puis les aimer vraiment.

Si Jésus avait considéré l'apôtre Pierre uniquement à travers sa triple trahison, nous n'aurions pas le grand plaisir de lire les deux formidables et puissantes épîtres de Pierre qui sont renfermées dans la Bible. De même, si nous insistons pour considérer les gens à travers une seule de leurs bêtises, il pourrait bien nous arriver de nous retrouver perdant sur toute la ligne.

Ainsi en est-il de la vie en général, des choses, des événements et des circonstances. On parvient à équilibrer nos émotions à l'égard de ces autres facettes de la vie au fur et à mesure qu'on acquiert l'art de voir et percevoir toutes choses à travers leur entité globale et non seulement à travers une seule facette, un seul aspect, ou une seule expérience.

Chaque chose de la vie, événement ou circonstance pourrait nous paraître peut-être laid, pris individuellement. Par contre, la vie, ainsi que tout ce qui s'y rattache, nous paraîtra sans cesse belle et agréable à savourer si nous la percevons dans son ensemble, globalement, sans trop tenir compte des désagréments qu'elle pourrait parfois nous causer.

L'équilibre dans les émotions produit inévitablement l'équilibre sentimental. Ensuite, l'équilibre sentimental engendre le processus conduisant à l'équilibre du caractère. Enfin, une fois franchie l'étape de l'équilibre du caractère, il devient relativement facile de parvenir à l'équilibre de toute la personnalité. Et qu'y a-t-il de plus agréable dans la vie que de vivre avec soi-même à travers une personnalité saine et harmonieusement équilibrée?

Il ne faut jamais cesser de pratiquer la culture de l'équilibre de tous les aspects de notre être. L'équilibre pourrait se comparer à une bicyclette. Le seul moyen de pouvoir garder notre équilibre en bicyclette, c'est d'être sans cesse en mouvement. De même, c'est en s'appliquant constamment à cultiver l'art de l'équilibre dans toutes les facettes de notre personne qu'on parviendra enfin à l'équilibre de toute notre vie.

Il ne faut jamais perdre de vue le fait que le bonheur de vivre ne se situe pas dans les extrêmes, mais se cueille plutôt là où habite le merveilleux ÉQUILIBRE.

CHAPITRE 15

Chaque être doit prendre soin de sa vie

Un auteur a déja écrit qu'élever un enfant, c'est lui apprendre à savoir se passer de ses parents. Un autre auteur a déjà mentionné, lui, que le meilleur moyen d'assassiner son enfant consistait à l'amener à croire que tout le monde se tiendrait constamment à ses pieds, et que tous les êtres de la planète seraient sans cesse disposés à satisfaire le moindre de ses caprices à chaque fois que l'enfant en question se tournerait d'un côté ou de l'autre.

Le monde devient vite chambranlant quand tous les êtres humains s'appuient trop les uns sur les autres. Bien que tous les êtres humains composant la race humaine soient interdépendants les uns des autres, cela ne signifie pas qu'il faille sans cesse dépendre des autres, et exclusivement compter sur autrui.

Si l'interdépendance est nécessaire afin d'assurer la protection de tous les individus composant la famille humaine, la dépendance, par contre, se transforme vite en un sérieux handicap négatif, et nuit énormément à la formation de la maturité individuelle quand on passe sa vie à insister pour ne dépendre que des autres.

Apprendre à cultiver la saine habitude de prendre soin de sa propre vie constitue la meilleure école de vie pour l'être humain. Dans ce domaine, les animaux mêmes ne nous donnent-ils pas le meilleur exemple qui soit? Ainsi, dès les premiers jours de leur naissance, les petits animaux apprennent très vite de leurs mamans tous les divers aspects de la débrouillardise. Voilà qui est très salutaire pour les petits animaux, étant donné qu'ils auront à affronter les dures réalités de la vie, voire de la subsistance, à peine quelques mois plus tard.

Bien sûr, les êtres humains ne sont pas des animaux, et il est tout à fait naturel et raisonnable de prendre soin des plus faibles, des démunis, des personnes âgées, ainsi que de tous les autres qui sont confrontés avec la maladie. Cet amour réciproque que doivent entretenir les êtres humains les uns à l'égard des autres contribue à agrémenter au plus haut point la vie de tous les jours. D'ailleurs, sans cette aide réciproque que les humains se manifestent, la vie ne vaudrait guère la peine d'être vécue.

Donc, le fait d'apprendre à prendre soin de sa propre vie n'exclut pas l'obligation d'entraide que tous les humains sont fortement incités à se manifester mutuellement.

S'il est vital pour l'être humain que nous sommes de pouvoir compter sur l'aide, la protection, l'appréciation, l'acceptation et l'amour de nos semblables, et s'il est vital pour chacun de nous d'avoir des êtres à aimer, à protéger et à secourir, il importe de bien comprendre qu'il est aussi vital pour l'être humain de disposer d'une certaine marge de manoeuvre à l'intérieur de laquelle nous pourrons développer au mieux les aspects de notre caractère et ceux de notre personnalité qui nous sont propres, ou personnels.

Si vous avez déjà été à même d'observer un troupeau de vaches, vous avez certainement pu constater qu'à part le fait de devoir produire du lait qui soit identique, rien d'autre n'est requis de tous les membres d'un tel troupeau. Ainsi en est-il d'un troupeau de moutons. A part le fait que tous les membres faisant partie d'un troupeau de moutons soient obligés de produire de la laine qui soit de qualité acceptable et identique à celle produite par tous les autres membres, rien d'autre n'est requis des individus composant un tel troupeau.

Il en est ainsi de tous les troupeaux d'animaux, quels qu'ils soient. Ce que le propriétaire d'un troupeau d'animaux exige de tel troupeau, c'est que tous les membres faisant partie du troupeau s'appliquent pour ainsi dire à produire un produit quelconque qui soit à la fois acceptable et uniformisé à la qualité produite par l'ensemble du dit troupeau.

Les troupeaux d'animaux sont-ils malheureux du fait que leurs propriétaires humains exigent d'eux qu'ils produisent quelque chose d'uniforme et d'identique aux autres membres d'un troupeau quelconque? Les animaux étant, par définition, des bêtes, ils ne se sentent nullement lésés dans leurs droits, ni aucunement malheureux du fait qu'on leur demande de suivre scrupuleusement la masse. Aucune bête, donc, ne souffre de sa dépendance absolue des autres, tout simplement parce que c'est une bête, donc une créature tout à fait dépourvue des innombrables et magnifiques qualités intérieures que l'on retrouve chez l'être humain.

La même dépendance absolue existe aussi au niveau du règne végétal, et aussi dans celui du règne minéral. Tant et aussi longtemps qu'un pommier produira des pommes qui seront uniformes à la qualité produite par la masse des pommiers d'un verger quelconque, il demeurera pour ainsi dire en vie. La même chose pour tout matériau ou métal.

Mais il ne peut en être ainsi chez l'être humain. L'individu humain, contrairement aux bêtes et aux métaux, a absolument besoin de pouvoir fonctionner, se développer, produire et créer à l'intérieur d'une certaine marge d'initiative personnelle, voire individuelle. L'être humain est constitué de telle façon qu'il deviendra tout simplement malheureux, voire souffrira du mal de vivre s'il se voit constamment forcé de fonctionner et de se conformer en tout aux critères uniformes à la masse.

L'être humain ne peut vraiment accéder au véritable bonheur de vivre qu'à la stricte condition d'être à même de pouvoir extérioriser pleinement ses innombrables facultés et qualités intérieures à travers le champ de ses créations, ses actions, ainsi que celui de ses oeuvres. Priver l'être humain d'une telle marge d'initiative personnelle, ou encore se priver soi-même d'une telle zone de manoeuvre, c'est condamner l'être humain au repli sur soi, à l'improduction, à la dégénérescence, voire à l'incapacité de pouvoir fonctionner sainement à l'intérieur du cadre humain.

Il ne faut jamais sous-estimer le fait que l'être humain constitue le chef-d'oeuvre même de Dieu, et que, de ce fait, nous avons été créés à l'image et à la ressemblance mêmes de notre Auteur. Donc, notre véritable bonheur de vivre ne deviendra vraiment réalisable qu'à la stricte condition de pouvoir penser, réfléchir, planifier, composer, méditer, en somme créer et produire toujours du nouveau, de l'utile, et de l'agréable.

Si vous voulez vraiment constater par vous-mêmes ce qu'il advient des êtres humains lorsqu'ils sont forcément privés de leurs pleines possibilités de pensées et d'actions, alors allez voir ce qui se passe dans les instituts pénitenciers. Vous constaterez alors que ce

255

qui s'y passe n'est guère différent que ce qui se passe dans les zoos. Emprisonner l'être humain, ce n'est pas le priver seulement de sa liberté physique, mais aussi l'handicaper gravement dans tous les autres aspects de sa dignité humaine.

Bien entendu, mon intention n'est pas de critiquer injustement la manière dont la société traite les malfaiteurs, ou ceux qui auraient eu la mauvaise fortune de poser un certain acte répréhensible. Mais si je tiens à citer les pénitenciers, et aussi les zoos en guise d'exemples, c'est uniquement afin de mieux illustrer les graves conséquences fâcheuses et destructrices susceptibles d'être causées à l'être humain lorsqu'on insiste pour le priver d'une certaine marge de manoeuvre individuelle.

Il convient de comprendre que le même processus de dégénérescence finit par s'en prendre à l'être qui insiste, de lui-même, pour vivre exclusivement aux crochets de la société. Voyez ce qu'il advient de telles personnes après un certain temps, et vous ne manquerez pas d'observer que l'être qui dépend trop des autres finit par ne plus pouvoir dépendre sur lui-même.

Il faut comprendre que je ne vise absolument pas les êtres démunis de la société qui méritent absolument d'être secourus par les plus aptes à produire. Mais ceux dont je viens de faire mention sont ceux et celles qui, de bon gré, c'est-à-dire tout à fait volontairement et consciemment, insistent à tout prix pour être pris en charge par les autres.

Comprenons-nous bien. S'il est essentiel que l'être humain puisse pouvoir compter sur certaines structures sociales, ou familiales, ceci pour nous sécuriser, nous protéger et nous développer au mieux, il n'en demeure pas moins vrai que l'être humain a aussi besoin d'une certaine marge de manoeuvre individuelle à l'intérieur de laquelle nous serons à même de nous épanouir pleinement, et nous extérioriser sainement, que ce soit à travers nos créations ou nos oeuvres.

On pourrait comparer l'humanité à une magnifique pièce de tissu aux mille et une superbes couleurs. Sans les fils pour les rassembler et les retenir, les couleurs n'auraient pas de corps ni sens. Mais solidement enchâssées à travers des fils de bonne qualité, les couleurs contribuent au plus haut point à la beauté d'une pièce de tissu.

Les fils qui retiennent les couleurs dans une pièce de tissu constituent les structures familiales et sociales qui encadrent l'ensemble des humains de la terre. Les couleurs, ce sont les créations et les réalisations des individus humains. Comme on peut le constater, l'un ne va pas sans l'autre. Sans structures pour nous encadrer, nous ne tarderions pas à sombrer dans le désordre et l'anarchie; de même, sans une certaine marge de manoeuvre individuelle, à l'intérieur de laquelle nous pouvons nous émanciper et nous extérioriser, c'est toute la famille humaine qui en souffrirait. Vous imagineriez-vous vivant dans un décor de vie où tout ce qui vous entoure serait de couleur uniforme; par exemple, tout blanc, tout noir, ou tout bleu!

L'être humain qui choisit de bon gré de se prendre en main, ou qui dispose de raisonnablement de liberté dans ce sens, produira généralement des oeuvres qui, tout en valorisant l'être qui les aura produites, auront aussi le don de procurer d'inestimables services à l'ensemble de la communauté humaine.

Par exemple, comment les Léonard de Vinci, Gustave Eiffel, Albert Einstein, Beethoven, Mozart, Louis Pasteur, Galilée, Rossini, Edison, Henry Ford, soit la plupart des savants, chercheurs et compositeurs, auraient-ils pu procurer autant de services à l'ensemble de la communauté humaine s'ils avaient été privés de leur liberté fondamentale de penser, réfléchir, créer, ou encore s'ils avaient choisi volontairement de s'handicaper eux-mêmes d'une telle liberté?

Toutes les inventions pratiques, à partir de l'électricité, en passant par le téléphone, et allant jusqu'à l'ordinateur, nous les devons à des êtres qui, faits de chair et d'esprit comme nous, ont eu le courage et la hardiesse de se prendre en mains eux-mêmes. Si la plupart de ces créateurs s'étaient résignés à végéter dans le doute, la peur et le négativisme, notre humanité se trouverait passablement handicapée. Bien sûr qu'il y a des inventions qui sont plus destructrices que bienfaisantes. Cependant, il est approprié de dire que la plupart des créations humaines s'avèrent profitables à l'ensemble des individus formant la grande famille humaine.

Bien entendu, nous ne pourrions pas profiter pleinement de toutes les commodités qui sont à notre portée s'il n'y avait pas de travailleurs pour les assembler. Cependant, il n'y aurait pas d'usines ni travailleurs pour assembler quoi que ce soit s'il n'y avait pas eu à l'origine de ces commodités des penseurs et des créateurs positifs pour les créer et les concevoir.

Prendre soin de sa propre vie implique donc le fait que chacun de nous doit cultiver à fond l'art qui consiste à s'explorer intérieurement; ensuite, après être parvenu à une meilleure perception de nos innombrables et prodigieuses possibilités intérieures, apprendre à développer et utiliser sagement tous ces merveilleux dons innés qui sont reliés à notre être.

Ce qu'il y a de vraiment merveilleux lorsqu'on se lance à fond dans la saine exploration de son propre intérieur, c'est de devenir à même de pouvoir goûter pleinement à l'inestimable bonheur de vivre que la vie met ainsi à notre disposition individuelle; un bonheur de vivre tout à fait taillé à notre propre mesure qui devient réalisable et assimilable au fur et à mesure qu'on acquiert l'art merveilleux consistant à savoir s'extérioriser à travers nos créations et nos oeuvres.

La récompense de l'exploration de nos talents intérieurs n'a pas besoin de se manifester sous la forme d'avantages monétaires pour nous rendre heureux de vivre. D'ailleurs, la joie de vivre qu'ont été à même de goûter de nombreux savants et chercheurs ne leur est certainement pas parvenue sous une forme monétaire quelconque, étant donné que la plupart ont vécu dans la pauvreté et ainsi sont morts sans richesses, c'est-à-dire sans avoir pu profiter pleinement du fruit de leurs découvertes et réalisations.

La joie que goûtait la plupart des créateurs positifs qui nous ont transmis une foule de commodités, leur était communiquée à travers leurs découvertes personnelles, ainsi qu'à travers les innombrables services qu'ils pouvaient rendre à leurs frères et soeurs humains. Ces heureux chercheurs positifs comprenaient sans doute à merveille le sens profond du proverbe suivant: «Cherchez sans cesse de nouvelles façons de vous y prendre en toutes choses; vous éprouverez ainsi la grande joie de la découverte!» Sans doute comprenaient-ils bien aussi le sens profond de cette autre très vieille maxime qui atteste qu'«Il y a plus de bonheur à donner qu'à recevoir!»

La cuisinière qui crée un nouveau plat et qui consacre toute une longue journée à préparer un délicieux festin qui régalera toute une maisonnée, ne puisera pas sa joie de vivre à travers l'argent et la gloire, mais plutôt à travers ses découvertes, ses réussites, et surtout à travers le plaisir qu'elle procurera aux siens.

Le musicien qui s'applique consciencieusement afin d'apprendre un nouveau morceau de musique, et qui réjouit les oreilles d'un vaste auditoire, ne récoltera pas sa joie de vivre uniquement à travers un certain cachet monétaire, ni la gloire; mais cette joie de vivre, il la cueillera plutôt à travers sa plus grande compréhension et maîtrise de la musique, et surtout à travers la joie qu'il aura procurée à un vaste auditoire.

De même, l'écrivain qui parvient à produire une oeuvre littéraire et qui rend service à la communauté, ne puisera pas sa joie de vivre à travers l'argent ou la gloire, mais plutôt à travers les mille et un petits services et agréments qu'il sera parvenu à transmettre à autrui.

L'ébéniste qui parvient à produire un solide et magnifique meuble ne puisera pas sa joie de vivre uniquement à travers l'argent; mais sa grande joie, il la récoltera à travers la contemplation d'une oeuvre qu'il sera parvenu à réaliser de ses propres mains, et surtout à travers la joie qu'il produira chez l'être cher à qui sera destiné la pièce en question.

Ainsi, pour devenir à même de pouvoir puiser abondamment dans tout le délicieux bonheur de vivre que la vie met à notre portée individuelle, chacun de nous, qui que nous soyons, devons absolument parvenir à produire certaines choses qui nous seront exclusives, ceci tout en étant agréables et utiles à quelqu'un d'autre.

Qu'il s'agisse de coudre une robe, préparer un repas original, fabriquer un meuble de ses propres mains, rédiger un recueil de poèmes, construire sa propre maison, apprendre une nouvelle langue, peindre un tableau, acquérir un nouveau métier, ou quelque autre oeuvre originale qui correspond aux goûts, aux dons et aux aspirations individuelles de chacun, nous augmenterons grandement notre bonheur de vivre si nous nous appliquons à créer et à produire quelque chose qui ait le pouvoir d'extérioriser au mieux et au plus haut point les fantastiques facettes intérieures de notre être.

Nous ne pouvons vraiment goûter pleinement à tout le véritable bonheur qu'il y a à vivre une vie d'être humain qu'à la stricte condition que nous soyons content et satisfait de nous-même. Autrement dit, nous devenons à même de parvenir au vrai bonheur de vivre que lorsque nous sommes enfin heureux d'être nous-même, ou de vivre avec nous-même. Ce ne sont ni l'argent, ni la gloire, ni la fortune, ni la grande renommée, ni rien de semblable qui puisse contribuer à nous rendre vraiment heureux de vivre. Non, nous devenons vraiment heureux de vivre, intérieurement, que lorsque nous sommes tout à fait satisfait de nous-même personnellement. Et nous n'atteignons ce degré de satisfaction, ou d'approbation de nous-même, seulement une fois que nous serons enfin parvenu à créer et réaliser des choses et des oeuvres qui nous extériorisent au plus haut point, et qui contribuent à la fois au bien-être et au bonheur de vivre de tous ceux et celles qui nous entourent, c'est-à-dire toute la grande famille humaine.

262

Savoir se prendre en main soi-même en s'appliquant à développer et extérioriser pleinement nos
facultés et talents intérieurs constitue, à n'en pas douter, une autre étape très importante que doit absolument franchir l'être qui aspire à goûter au plus grand
bonheur de vivre que la douce et généreuse vie met
à la portée de chacun de nous.

CHAPITRE 16

Savoir faire confiance à la vie

J'ai déjà connu un type d'un certain âge qui ne faisait confiance à personne ni à rien. À ses yeux, rien n'était sûr en ce monde, et tous les êtres humains de la planète n'étaient qu'une bande de sournois et de malhonnêtes. Ce drôle de bonhomme ne se risquait même pas à traverser les ponts d'acier tellement il avait si peu confiance dans les techniques modernes de construction. A ses yeux, seuls les ponts construits en bois s'avéraient sécuritaires.

Pour ce qui est des banques, eh bien, parlons-en. Croyez-le ou non, mais l'homme dont je vous parle n'a jamais voulu déposer un seul sou dans quelque banque que ce soit. Selon lui, ces endroits étaient trop risqués. Sa peur de perdre son argent l'empêchait donc de déposer son capital en banque et ainsi d'en récolter des intérêts.

De plus, il n'invitait personne chez lui. A ses yeux, les visites entre parents ne faisaient qu'occasionner des dépenses tout à fait inutiles. Pour ce qui est des enfants, il n'en voulait pas et n'adressait jamais la parole à ceux du voisinage. Tous les enfants n'étaient que des futurs vauriens, disait-il.

Il y a encore une chose que je n'oublierai jamais de cet homme. C'est qu'il ne souriait jamais. D'ailleurs, comment aurait-il pu sourire étant donné qu'il n'avait pas du tout l'air de quelqu'un d'heureux. Finalement, après avoir passé sa vie à végéter dans la solitude et dans son refus d'accorder sa confiance à l'égard de qui, ou de quoi que ce soit, cet homme est mort sans parents, sans amis, ni personne pour le consoler, ni le pleurer.

Refuser de faire confiance à la vie et aux gens, c'est se condamner à devoir subir une existence pitoyable. Douter de tout le monde et de la vie, c'est se priver inutilement de la cueillette d'une source abondante de joie de vivre et de mille et un petits bonheurs quotidiens. Refuser de faire confiance aux autres et à la vie, c'est s'isoler dans sa propre coquille et ainsi s'exposer à moisir et à finir par végéter dans la déchéance la plus totale.

La vie nous fournit tellement d'exemples positifs en rapport avec la confiance. Par exemple, la planète

Terre, notre fantastique vaisseau spatial, qui tourne sans jamais s'arrêter dans une trajectoire bien définie; le puissant soleil qui ne s'épuise pas à nous éclairer et à nous réchauffer; la pluie qui ne cesse jamais d'arroser notre sol et de faire croître notre végétation; notre coeur qui bat constamment dans notre poitrine; les rivières qui coulent sans jamais se vider de leur contenu; les bébés qui se développent dans le sein maternel sans que nous n'ayons à nous préoccuper de leur croissance, et combien d'innombrables autres exemples du genre la vie elle-même ne met-elle pas à notre portée!

Pour un instant, prenons conscience du fait que notre planète, la Terre, est tout à fait suspendue dans le néant et ne repose sur aucune espèce de pilier. Notre bonne vieille Terre tourne au moins un tour complet sur elle-même à chaque jour, et pourtant, aucun être humain ne doute que la Terre ne soit plus en mesure de poursuivre ses prodigieuses randonnées dans l'espace. Et pourquoi ne doutons-nous pas de la planète Terre? Tout simplement parce que nous avons une confiance pour ainsi dire absolue dans son parfait agencement, dans son énergie inépuisable, et surtout à l'égard du grand et sage Constructeur qui a su penser et produire un tel vaisseau spatial.

Que dire maintenant du soleil, ce phénomène grandiose qui, tout en nous éclairant, nous réchauffe et est tellement essentiel à notre subsistance. Le soleil nous réchauffe et nous éclaire sans jamais s'épuiser, ni diminuer, et cependant, aucun être humain de la planète Terre ne s'occupe de l'approvisionner en quelque combustible que ce soit. Comment se fait-il que nous ne doutions pratiquement jamais du soleil? La raison en est que nous avons une confiance pratiquement illimitée dans le soleil, surtout dans la sagesse de Celui qui a su si bien construire le soleil.

Et ce coeur qui n'en finit pas de battre au milieu de notre poitrine. Il ne cesse jamais de battre ni d'assurer la circulation sanguine dans toutes les parties de notre organisme, et pourtant, nous nous soucions si peu de lui, du moins jusqu'au jour où il commence à manifester certains ratés suite à trop de négligence de notre part. Comment se fait-il que nous nous couchions le soir et que nous nous soucions si peu de savoir si oui ou non notre coeur va continuer de battre durant la nuit? La raison en est que notre confiance à l'égard de cet organe qu'est notre coeur est presqu'illimitée. Nous avons confiance que l'agencement de cet organe vital et prodigieux a été bien pensé à l'avance et que le tout a été construit par un Être sage, super intelligent, qui mérite toute notre confiance.

Une jeune maman devient tout à coup enceinte et tout le monde s'en réjouit. Malgré le fait que personne ne se préoccupe de voir à ce que la croissance de l'enfant à naître s'effectue de manière adéquate, nous avons une confiance absolue que ce qui viendra au monde neuf mois plus tard sera bel et bien un bébé humain, et non pas un bébé phoque. Notre confiance à l'égard des lois de la biologie qui président aux espèces de vie est telle que nous dormons bien tranquilles jusqu'au jour où nous pourrons enfin prendre dans nos bras le magnifique enfant que la maman mettra au monde. Encore une fois, notre confiance absolue nous rassure tout à fait et nous convainc que ce qui a été semé va finalement produire de la récolte, mais toujours dans le sens de telle semence.

Ainsi en est-il du cultivateur. Il jette ses semences alimentaires dans les sillons du sol fécond de sa ferme et ne doute absolument pas que la généreuse terre lui rendra, au centuple, les fruits de sa semence, ou de sa générosité a l'égard de la terre.

Les astronautes s'envolent vers la lune avec la confiance absolue qu'elle se trouvera au bon endroit lorsque leur vaisseau spatial aura à y atterrir quelques jours plus tard.

Nos rivières et nos fleuves coulent sans arrêt, et cependant, nous ne doutons absolument pas qu'ils risquent de se vider. Notre confiance dans les processus atmosphériques nous convainc que l'eau de la planète Terre va toujours revenir à son point de départ une fois qu'elle aura été aspirée par le soleil, filtrée dans les nuages, et qu'elle retombera sous forme de pluie sur les crêtes de nos montagnes.

Voilà seulement quelques-unes des prodigieuses leçons de confiance que ne cesse de nous transmettre la fantastique vie qui bat en nous et tout autour de nous. La vie produit tant d'exemples du genre en rapport avec la confiance qu'il est tout simplement impossible de les décrire tous . Les quelques leçons de confiance qui viennent d'être citées devraient largement nous convaincre que nous disposons de toutes les bonnes raisons au monde de ne jamais cesser de faire confiance à la vie, et encore moins à son Auteur, lequel est infiniment sage et puissant.

Oui, la vie est absolument digne de notre confiance puisqu'elle est le produit direct d'un Auteur qui, à travers toutes ses oeuvres, ne cesse de nous persuader qu'il ne faut jamais manquer de confiance, de foi ni de courage à l'égard de la vie.

Avec la vie, il n'est jamais trop tard pour recommencer un nouveau départ. Chaque nouveau matin est une autre petite étape de ce perpétuel recommencement qui nous offre une autre opportunité de faire mieux, voire de tout recommencer s'il le faut, et surtout de sourire avec confiance à cette puissante et prodigieuse vie qui circule en nous et tout autour de nous.

Mais en plus de la vie et de son grand Auteur, il y a beaucoup d'autres choses qui méritent notre confiance. Par exemple, il y a les gens qui nous entourent. Oui, tous ces êtres fantastiques qui nous entourent font aussi partie de la magnifique et prodigieuse vie. Ces êtres sont dotés de tant de dons innés, de talents, de qualités, de possibilités et de ressources que ce serait tout simplement cruel de notre part que de se refuser à aller vers eux afin d'apprendre à les connaître, les découvrir, les apprivoiser à notre égard et partager avec eux tant de bienfaits inespérés.

Ce peut être emballant de rêver accroupi devant le soleil, ou encore excitant d'être le témoin du merveilleux chant d'un petit oiseau; cependant, ce peut être un million de fois plus profitable pour nous d'aller vers nos semblables afin d'apprendre à les découvrir, et ainsi devenir à même de pouvoir profiter pleinement de toutes les fantastiques possibilités de joies et de bonheur de vivre que la vie met ainsi à notre disposition à travers le merveilleux processus de nos semblables.

Que de richesses infinies et insoupçonnées devenons-nous à même de récolter lorsque nous décidons enfin d'aller à la rencontre des autres! Il convient de savoir, de bien comprendre surtout, que l'esprit et le coeur de nos semblables, leurs sentiments, leurs dons et leurs talents, leurs qualités, leurs pensées, leurs réflexions, leurs expériences, en somme toutes les innombrables richesses mentales, morales et spirituelles dont ils sont dotés sont tout à fait à notre disposition. Et ceci tout à fait gratuitement. Tout ce que nous avons à faire, c'est d'aller à leur rencontre, les écouter, les respecter, et les cueillir tels qu'ils se présentent à nous.

On pourrait comparer les êtres qui nous entourent à des fruits sauvages qui poussent dans les champs et les forêts. Les fruits sauvages appartiennent à personne et à tout le monde à la fois. C'est la personne qui a le courage de s'aventurer dans les champs et les bois qui aura le privilège de cueillir tous ces fruits sauvages que la nature met tout à fait gratuitement à la disposition de quiconque désire s'en régaler. Tout ce qu'il faut faire, c'est d'aller dans les champs et les bois, de nous pencher pour cueillir tous ces fruits, et, ensuite, nous en régaler à satiété.

Voilà à quoi ressemblent nos semblables. A autant de délicieux fruits sauvages que la vie met tout à fait gratuitement à notre disposition et à notre portée. Tout ce que nous avons à faire, c'est d'aller au-devant des gens, les découvrir, les écouter, et ainsi nous devenons à même de pouvoir nous régaler d'une somme de connaissances, de pensées, de réflexions, de talents, d'expériences tout à fait insoupçonnés, et qui nous seront des plus profitables si nous savons les utiliser avec sagesse et discernement.

Bien sûr, vous allez peut-être objecter qu'il convient de se montrer prudent avec les gens; qu'il faut même nous méfier avec certains et nous écarter carrément de certains autres. Oui, je suis tout à fait d'accord avec le fait que la compagnie de certaines personnes peut s'avérer franchement dévalorisante, voire détestable. Par contre, bien que la végétation terrestre soit dotée de nombreuses mauvaises herbes, cela signifie-t-il qu'il convienne de cesser de labourer, de semer, ou de récolter?

Le fait est bien connu que même si notre végétation est entremêlée d'innombrables mauvaises herbes, voire de certaines mauvaises herbes qui sont carrément empoisonnées, donc mortelles, nous n'en con-

tinuons pas moins de labourer, ensemencer et cultiver nos champs et nos sols. Nous continuons d'agir
ainsi avec la ferme confiance que, malgré le fait et
la présence des mauvaises herbes, notre sol n'en con-
tinuera pas moins de produire toutes sortes de bonnes et saines végétations qui seront utiles pour notre
santé et agréables pour notre palais.

Donc, bien que notre société humaine soit infes-
tée de certaines espèces d'êtres indésirables, n'empêche qu'elle est aussi dotée de tant de talents et de qualités utiles et désirables que ce serait nous montrer
cruel à notre propre égard que de nous priver de la
précieuse compagnie des autres.

Il ne faut surtout pas oublier le fait évident que tous
les êtres humains composant la grande famille
humaine et terrestre ont tous une origine commune.
En effet, nous originons tous et toutes d'une même
mère et d'un même père humains, lesquels ont tous
les deux été amenés un jour à la vie par la volonté,
la sagesse et la puissance de ce Créateur qui est aussi
l'Auteur de toutes les oeuvres qui nous entourent.

En conséquence, la confiance que nous portons à
l'égard de notre planète, du soleil, de la végétation,
de la croissance biologique, de l'atmosphère, ne
devrait pas être différente à l'égard de nos semblables. Bien qu'il y ait des tremblements de terre et des
sécheresses, nous n'en continuons pas moins d'accorder toute notre confiance à l'égard de la Terre, les
processus atmosphériques, ou la végétation. Alors,

pour quelle raison en serait-il autrement avec nos semblables? Allons-nous cesser de faire confiance aux gens, d'aller vers eux, et ainsi nous priver de tant de possibilités et de sources de tant de joies de vivre à cause du fait qu'une certaine minorité d'individus constitue pour ainsi dire de la mauvaise herbe?

Il y a combien de fabricants de fausses monnaies de par le monde? Cependant, bien qu'il y ait tant de fausses monnaies qui circulent sur notre planète, cessons-nous de faire confiance aux billets de banque qui se trouvent présentement à l'intérieur de notre porte-monnaie, ceci bien qu'il soit évident que le marché mondial de l'argent est inondé de fausses monnaies de toutes sortes?

Alors, quelle raison aurions-nous de cesser d'accorder notre confiance aux autres? Cessons-nous d'accorder notre confiance en la vie malgré le fait que la mort insatiable ne cesse de nous ravir nos chers parents et grands-parents que nous aimons tant?

On pourrait comparer les êtres humains qui habitent la planète Terre à autant de petites îles minuscules sur la vaste étendue de la vie. Donc, chaque être humain constitue en soi une toute petite île; et nos facultés intellectuelles, mentales, spirituelles sont les habitantes de notre petite île. Ainsi, chaque petite île, c'est-à-dire chaque être humain, est habitée de milliards de résidantes qui sont toutes étroitement reliées entre elles par le fil génétique d'une seule et même personnalité, soit le caractère de l'individualité qui constitue une seule île.

Nous savons tous que les ponts sont les seuls ins-
trements pouvant relier les îles littérales les unes aux
autres, et ainsi permettre aux résidants de telles îles
de circuler d'une île à l'autre afin de pouvoir échanger des idées et des biens avec les résidants des autres
îles. Voilà un fait acquis et aisément accepté de tous.
Alors, si nous acceptons le fait qu'il convienne de
construire des ponts pour pouvoir permettre aux habi-
tants des îles de devenir en mesure de circuler d'une
île à l'autre, pourquoi n'en serait-il pas ainsi avec les
êtres humains?

Les ponts pouvant nous relier les uns aux autres
se nomment «La Confiance». En effet, sans le merveilleux et prodigieux pouvoir de la confiance, il serait
tout simplement impossible aux humains de pouvoir
s'approcher les uns des autres, communiquer, et ainsi
échanger des pensées, des réflexions, des idées, des
dons, des talents, des connaissances pratiques, ainsi
que toutes sortes d'expériences utiles et constructives.
Sans les ponts de la confiance, les résidantes de notre
petite île personnelle ne tarderaient pas à dégénérer
au point de finir par moisir dans l'ignorance, la solitude, l'ennui, voire l'absence totale de toute production et réalisation positives et génératrices de joie de
vivre et de bonheur légitime.

Faire confiance à la vie, à son Auteur et aux gens
en général nous enrichit intérieurement en ce sens que
la confiance est toujours à l'origine de la foi; de son

côté, la foi absolue engendre inévitablement l'enthousiasme; et l'enthousiasme, lui, est un puissant générateur d'énergie; en retour, l'énergie a le don de produire la force permettant d'aller toujours plus loin, au
bout de soi s'il le faut; enfin, le succès, la satisfaction,
la récompense, la joie, le calme, la paix, la sécurité,
se cueillent là où se situe le merveilleux produit fini,
soit la seule véritable raison d'être de l'humain: LE
BONHEUR DE VIVRE!

J'ajouterai, en guise de mot de la fin, que le bonheur de vivre dépend bien plus de notre capacité
d'aimer que de notre faculté de recevoir.

— FIN —